CARSON CITY LIBRARY
3 1472 70001 6094
DIARIO DEL EMBARAZO Anota en estas dos páginas las citas con el médico
y las clases de preparación para el parto
WITHDRAWN
Semana 6
Semana 7
Spanish
612.63 K
SPANISH
D0058092
Semana 14
Semana 15
Semana 16
Semana 22
Semana 23
Semana 24
Semana 30
Semana 31
Semana 32
Semana 38
Semana 39
Semana 40
CARSON CITY LIBRARY
900 N. ROOP STREET
CARSON CITY, NV 89701

El embarazo
Día a Día

— DATOS PERSONALES —

SHEILA KITZINGER
Y VICKY BAILEY

EL EMBARAZO DÍA A DÍA

❖

Un diario único para conocer y planificar el embarazo

Fotografiado por Nancy Durrell McKenna y Lennart Nilsson

INTERAMERICANA • McGRAW-HILL
HEALTHCARE GROUP
MADRID • AUCKLAND • BOGOTÁ • CARACAS • COLORADO SPRINGS
HAMBURGO • LISBOA • LONDRES • MÉXICO • MILÁN • MONTREAL
NUEVA DELHI • NUEVA YORK • SAN FRANCISCO • SAN JUAN • SÃO PAULO
ST. LOUIS • SINGAPUR • SIDNEY • TOKIO • TORONTO

EL EMBARAZO DIA A DIA

Traducción: Ana Isabel Borja Albi

I.S.B.N.: 84-7615-583-2

Primera edición en castellano, 1990

Traducido de la primera edición en inglés de la obra:
Pregnancy Day-By-Day.
A DORLING KINDERSLEY BOOK de
Sheila Kitzinger

Contenido

Presentación de este libro

Cuando sus hijos ya son mayores, a muchas madres les gustaría poder recordar detalles de lo que sucedió y lo que sintieron durante el embarazo y el parto. Les gustaría poder compartir esta experiencia con sus hijos y decir: «Antes de que nacieras sucedió esto» o «el día que naciste...». Por tanto, éste no es un libro sólo para leer. En sus páginas podrás contar tu propia historia sobre tu embarazo y el parto, anotar los datos que quieras recordar y, además, encontrarás información sobre lo que debes saber en las distintas fases del embarazo.

Este libro te ayudará a escribir sobre una experiencia muy importante y te permitirá conservar todos los datos personales sobre un momento muy especial de tu vida.

¿POR QUÉ ESCRIBIMOS ESTE LIBRO?

Creemos que el nacimiento de un hijo es un acontecimiento muy importante para una mujer, y que no debe tratarse únicamente desde el punto de vista médico. Tienes derecho a recibir información completa y exacta para conocer las ventajas y los riesgos que implican las cosas que te harán a ti y a tu bebé. Puedes participar activamente en el nacimiento de tu hijo, y no limitarte a ser una paciente pasiva. Sabemos que tener un hijo puede ser una experiencia emocionante y enormemente satisfactoria, y desearíamos ayudarte a que lo sea para ti.

Semana 17 DIA | MES | AÑO

D
L
M
X
J
V
S

Semana 18 DIA | MES | AÑO

D
L
M
X
J
V
S

Los espacios para anotaciones contienen preguntas para estimular la reflexión y la discusión.

EL DIARIO. *Aquí podrás anotar las fechas de tus visitas al médico y otros datos.*

Los apartados sobre «tu cuerpo» describen los cambios corporales que experimentarás en cada fase.

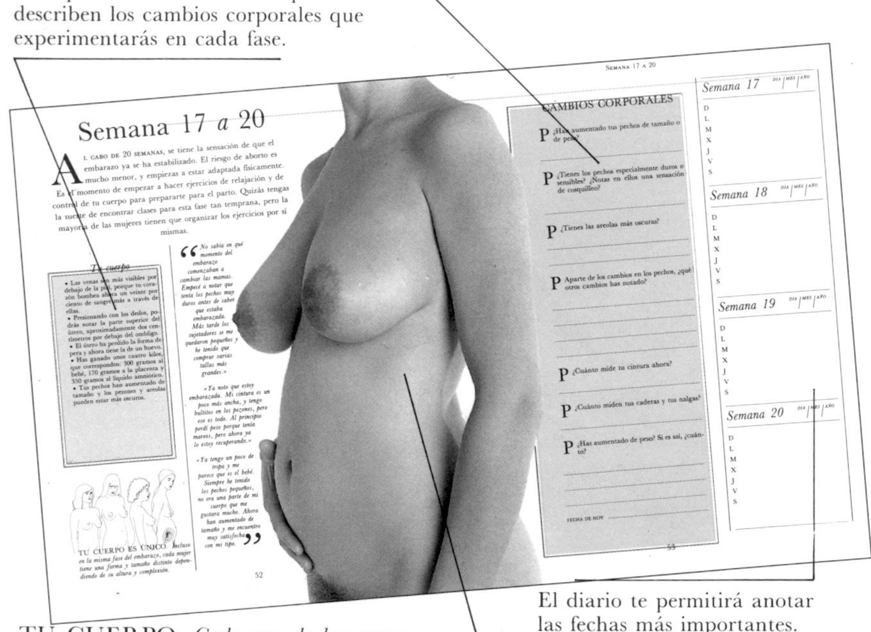

El diario te permitirá anotar las fechas más importantes.

TU CUERPO. *Cada uno de los nueve capítulos del libro va precedido por dos páginas dedicadas a la futura mamá.*

Las fotografías de mujeres embarazadas te ayudarán a descubrir tu propio cuerpo.

TU BEBÉ, *el apartado de dos páginas que sigue a* TU CUERPO, *describe el desarrollo del bebé.*

CÓMO UTILIZAR ESTE LIBRO

El libro tiene nueve capítulos, uno para cada fase del embarazo, empezando desde el momento en que te enteras de que estás embarazada hasta el parto y el primer contacto con el bebé. En el apartado TU CUERPO, al comienzo de cada capítulo, encontrarás los cambios que experimentará tu cuerpo, con un diario para anotar las citas del médico y las fechas especiales. Tras éste, la sección TU BEBÉ explica cómo se está desarrollando el niño. Cada capítulo contiene un apartado sobre TEMAS ESPECIALES, que te ofrecen consejos prácticos e información y proponen temas de debate, mientras que los espacios para anotaciones contienen preguntas concretas y te dejan sitio para escribir sobre tus sentimientos y pensamientos, y anotar las decisiones que has tomado sobre ti misma y sobre tu bebé.

NOTAS. *Los pensamientos, sentimientos y decisiones que anotas en respuesta a las cuestiones de este apartado constituirán un registro perdurable de tus experiencias personales del embarazo y el parto.*

LAS FOTOGRAFÍAS

En algún momento puedes preguntarte si los cambios que observas en tu cuerpo son normales. Las páginas sobre TU CUERPO contienen fotografías de distintas mujeres en cada fase del embarazo. Esperamos que te ayuden a comprender y conocer mejor tu propio cuerpo.

PENSANDO EN EL FUTURO

P ¿Qué piensas sobre la lactancia materna?

P ¿Quién te puede informar sobre la lactancia materna?

¿Sabías que...?

- El líquido amniótico contiene glucosa, fructuosa, sal, proteínas, urea, ácido cítrico, ácido láctico, ácidos grasos y aminoácidos.

¿SABÍAS QUE...? *Se están descubriendo hechos fascinantes sobre lo que el feto puede hacer, ver, oír y sentir.*

El apartado «¿sabías que...?» te lo cuenta todo sobre el bebé.

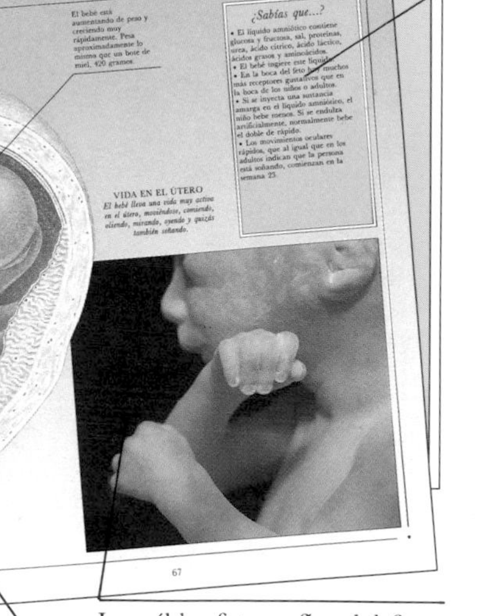

Increíbles fotografías del feto te lo muestran en todo detalle.

Las fases de desarrollo del bebé van ilustradas con fotos a todo color.

LA ALIMENTACIÓN DE TU BEBÉ

TEMAS ESPECIALES. *Los consejos y la información se combinan con ilustraciones complementarias.*

Los comentarios de otras mujeres aportan una dimensión personal.

Apartados con información.

¡Estás embarazada!

Quizás la noticia de tu embarazo te haya hecho sentir inmensamente feliz. Parece increíble que dentro de ti esté creciendo una nueva vida y te sientes como si fueras la primera mujer que va a tener un bebé. Quizás el bebé ha sido concebido accidentalmente o por el contrario puede ser que llevéis años intentándolo. Es maravilloso comprobar que tu cuerpo funciona correctamente y, sin embargo, pueden surgirte dudas sobre tu capacidad para ser madre o sobre el modo en que el bebé afectará a la relación con tu pareja. La mejor forma de iniciar esta gran aventura es aceptar con honestidad estos sentimientos contradictorios.

¿CUÁNDO NACERÁ EL BEBÉ?

El embarazo dura 38 semanas, pero médicamente, la fecha en que nacerá el bebé se calcula contando 40 semanas a partir de tu última regla, lo que supone dos semanas antes de que *probablemente* ovularas. Como nadie puede saber con exactitud la fecha de tu ovulación y quizás no recuerdas las fechas en que hiciste el amor, esta fecha es sólo una aproximación. El bebé puede nacer dos semanas antes o después de la fecha prevista y aún así estar dentro de la norma.

“Quería tener un hijo con Richard porque aunque yo ya tenía hijos, él aún no había sido padre. Está emocionadísimo y mis otros hijos están encantados. Parece que por el simple hecho de quedarme embarazada he hecho feliz a un montón de gente.»

«Cuando me enteré corrí a comprarme libros sobre el embarazo. También compré un oso de peluche. Una parte de mí decía: Es una tontería, qué va a hacer un niño con un oso de peluche.»

«Me gustaría poder quedarme en casa con mi hijo todo el tiempo, pero no sé si podremos pasar sin mi sueldo. Es la cosa más maravillosa que me ha pasado y ya nos arreglaremos.»

«Mi hermana tiene el síndrome de Down y la idea de estar embarazada me aterra hasta que me haya hecho una amniocentesis. No quiero decírselo a nadie hasta que esté segura de que todo va bien.”

¡UN BEBÉ! Descubrir que estás embarazada puede despertar una avalancha de emociones contradictorias en ti y en tu pareja.

CÓMO LO CONTASTE A LOS DEMÁS

P ¿Cómo te sentiste cuando te enteraste que estabas embarazada?

____

____

____

____

____

____

P ¿Quién fue el primero a quien diste la noticia?

____

____

____

____

____

P Al dar la noticia, ¿qué palabras utilizaste?

____

____

____

____

P ¿Cómo reaccionó la primera persona a quien diste la noticia?

____

____

P ¿Quién fue la segunda persona a quien se lo dijiste?

____

____

____

____

P ¿Cómo reaccionó?

____

____

____

____

____

____

____

P ¿Te ha resultado difícil contárselo a alguien? Si es así, ¿a quién y por qué?

____

____

____

____

____

____

FECHA DE HOY ______________________________

Semana 1 *a* 8

Te puede parecer increíble que en tu interior se esté produciendo un milagro y nadie se dé cuenta. Quizás pienses que se te debe notar, pero en realidad no se te nota nada. En las primeras semanas, puedes encontrarte cansada ya que el cuerpo se está adaptando a las demandas del embarazo. Necesitas descansar más, pero como muchas personas no saben que estás embarazada te puede resultar difícil organizarte. Intenta acostarte temprano y pide a tu pareja que te lleve el desayuno a la cama. Podéis pasar el fin de semana descansando juntos. Durante estas primeras semanas puedes sentir náuseas por la mañana o por la tarde, con o sin vómitos. También puedes sentir un sabor metálico en la boca que a veces dura todo el día. Estos problemas pueden deberse al cansancio, por lo que el descanso puede aliviar los síntomas. Un poco más abajo te sugerimos algunas ideas para ayudarte a superar las náuseas en estas primeras semanas.

DESCUBRIMIENTO DE TU CUERPO

Los cambios en la forma y el tamaño de tu cuerpo son algo fascinantes pues reflejan el crecimiento del bebé en tu interior. A algunas mujeres les preocupa ponerse demasiado gordas y perder atractivo para su pareja. Aceptar tus nuevas formas redondeadas y enorgullecerte de ellas ayudará a sentirte mejor.

“*¡Veo mujeres embarazadas por todas partes! Parecen estar en todos los sitios y me pregunto: ¿me pondré como ellas? ¿Me pondré tan gorda?»*

«Me siento muy desmejorada pero me doy cuenta que mi cuerpo está haciendo una adaptación tremenda, por lo que estas semanas voy a intentar descansar más.”

Cómo aliviar los mareos matinales

- Toma unas tostadas antes de levantar la cabeza de la almohada. Esto eleva el nivel de azúcar en sangre. Las náuseas suelen aparecer por la mañana, cuando estos niveles están más bajos.
- Toma algo de comer antes de irte a dormir.
- Come alimentos ricos en carbohidratos, en cantidades pequeñas pero con mucha frecuencia. Los plátanos, por ejemplo, ayudan a mantener el nivel de azúcar en sangre.
- Reduce las grasas y la leche entera, los quesos fuertes y los huevos de tu dieta.
- Entre las comidas toma galletitas o pica algo para no tener el estómago vacío.
- Durante un día entero come sólo un alimento que te siente bien. A continuación ve añadiendo otros.
- Evita los olores fuertes, las habitaciones cargadas y las atmósferas con mucho humo.
- Dedica un rato al día a mantener las piernas elevadas.
- Pide a tu pareja que te ayude en las tareas del hogar.
- Si trabajas, intenta negociar con tus jefes un horario flexible.
- Consulta con tu médico la posibilidad de tomar algún medicamento para combatir las náuseas.

CAMBIOS CORPORALES

P ¿Qué diferencias has notado en tu cuerpo desde que te enteraste que estabas embarazada?

FECHA DE HOY

Semana 1 DIA / MES / AÑO

D
L
M
X
J
V
S

Semana 2 DIA / MES / AÑO

D
L
M
X
J
V
S

Semana 3 DIA / MES / AÑO

D
L
M
X
J
V
S

Semana 4 DIA / MES / AÑO

D
L
M
X
J
V
S

Semana 5 DIA / MES / AÑO

D
L
M
X
J
V
S

Semana 6 DIA / MES / AÑO

D
L
M
X
J
V
S

Semana 7 DIA / MES / AÑO

D
L
M
X
J
V
S

Semana 8 DIA / MES / AÑO

D
L
M
X
J
V
S

LAS PRIMERAS SEMANAS

EL ÓVULO FEMENINO puede ser fecundado por el espermatozoide durante un período de 12 a 24 horas solamente. El óvulo y el espermatozoide se encuentran en una de las trompas de Falopio. El espermatozoide hunde su cabeza en el óvulo, pierde la cola y es absorbido por el óvulo. En dos o tres horas, el óvulo se divide en dos células. Al cabo de tres días, se ha dividido en 32 células y al cabo de cinco días en 90 células. Las paredes de las trompas empujan el óvulo fecundado hacia el útero. Las vellosidades internas también colaboran en este movimiento barriendo el óvulo como si se tratara de un campo de trigo.

— ¿CÓMO SE DESARROLLA EL EMBRIÓN? —

La vesícula fecundada, aún muy pequeña pero visible al ojo humano, llega al útero y se implanta en él, aproximadamente una semana después de la fecundación. Una capa de células del huevo se implanta en el endometrio, que lo absorbe y constituye el punto de unión. Otra capa de células se convierte en la bolsa de las aguas, que protege y rodea al embrión. En el centro de la formación celular se encuentra el botón embrionario a partir del cual se desarrollará el embrión, y un saco vitelino que produce glóbulos rojos y posteriormente pasará a formar parte del intestino del bebé.

¿CHICO O CHICA?

La mayoría de las mujeres descubren el sexo de su bebé cuando nace, aunque se puede conocer por amniocentesis (*véase* página 34), en «Biopsia de vellosidad coriónicas» (*véase* página 35) o por ecografía (*véase* página 46). El espermatozoide del padre determina el sexo del niño.

El óvulo siempre lleva dos cromosomas *X*, pero el espermatozoide puede llevar un cromosoma *X* o un cromosoma *Y*. Si el óvulo es fecundado por un cromosoma *Y*, tendrás un niño y si lo fecunda un cromosoma *X* será una niña.

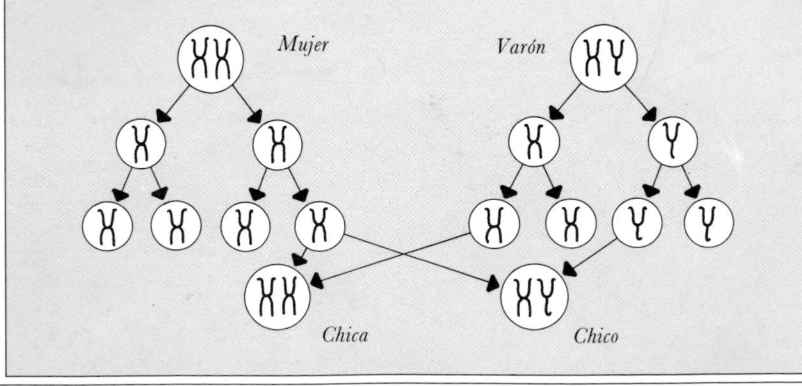

AL PRINCIPIO *el óvulo maduro (arriba a la izquierda) se desprende de un ovario y pocas horas después de ser fecundado se divide en dos células (arriba).*

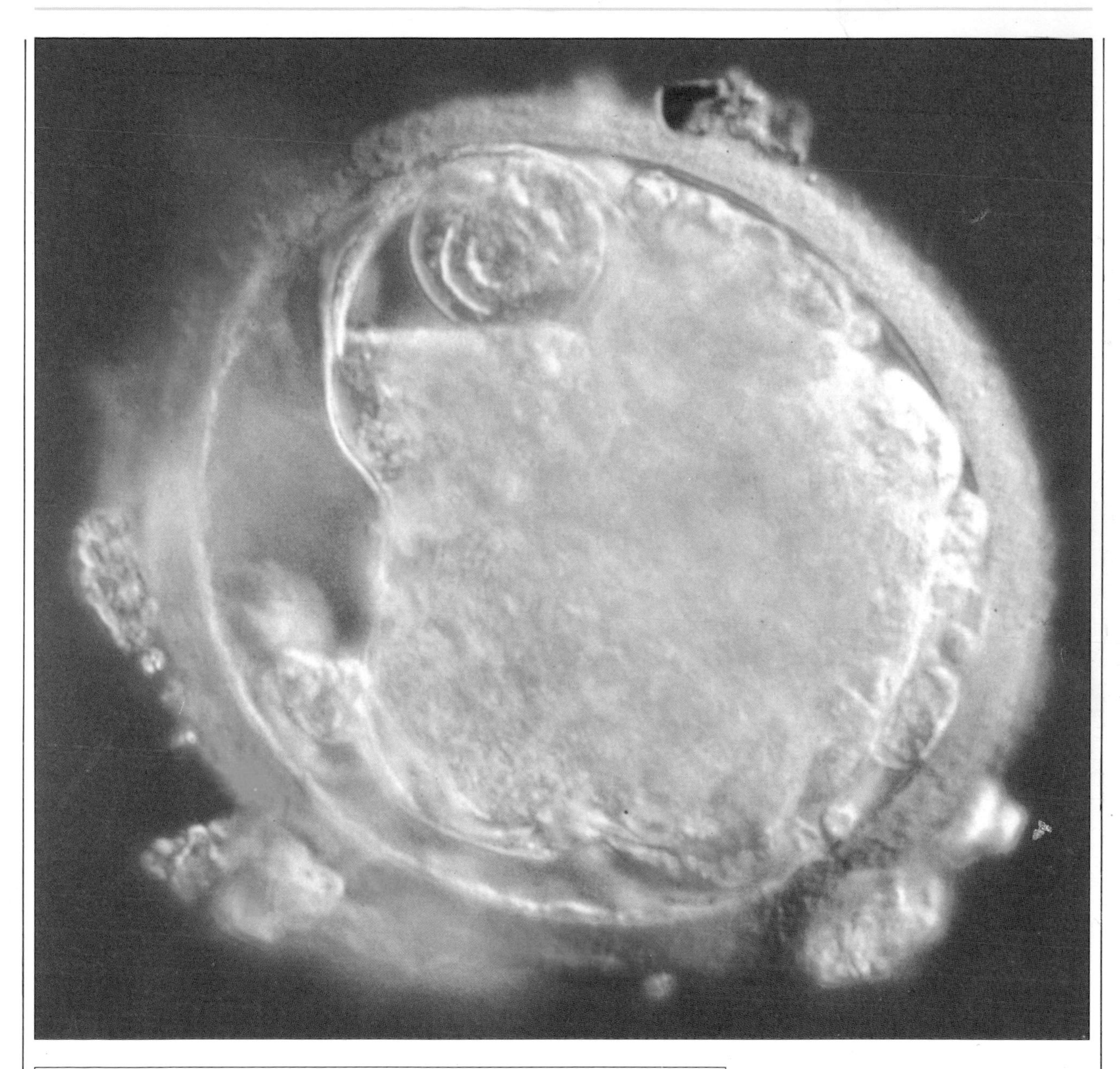

¿Sabías que...?

- El embrión se halla unido a la placenta (*véase* página 41) por un delgado cordón. A medida que el embrión crece se va formando una especie de burbuja a su alrededor. Va aumentado de tamaño desde el interior y se va alargando.
- El embrión tiene tres capas de células que se desarrollan de forma independiente.
- La capa más externa da lugar a la piel y los nervios del bebé.
- A partir de la capa intermedia se forman los cartílagos, huesos, tejidos conectivos, músculos, sistema circulatorio, riñones y órganos sexuales.
- A partir de la capa interna se forman los órganos de la respiración y la digestión.

LAS FECHAS DE TU EMBARAZO

El disco embrionario pasa a ser embrión en lo que se considera la octava semana de embarazo. De hecho, es la sexta semana contando a partir de la fecundación. Aunque sólo has estado embarazada seis semanas, la costumbre es decir que llevas ocho semanas porque el embarazo se calcula a partir del primer día de tu última regla, no desde el momento de la concepción.

DECISIONES INFORMADAS

ES CONVENIENTE DECIDIR lo antes posible el tipo de cuidados que deseas recibir durante el embarazo y el parto. Para tomar estas decisiones necesitarás mucha información de tu médico, tu comadrona, del hospital y de asociaciones de apoyo. También es interesante hablar con amigos y con otras mujeres que han tenido hijos para conocer sus experiencias. Trata de reflexionar sobre las cosas que consideras importantes para ti, discútelas con tu pareja o con alguien cercano a ti y lee algunos de los libros que recomendamos en la página 126. Cuando hayas averiguado todo lo que necesitas saber contesta a las preguntas de las páginas 16-17 para hacer tu registro personal.

«Al principio pensaba: ellos saben lo que hay que hacer. Pero después me di cuenta que yo sé más sobre mi cuerpo y sobre mí misma que ellos. Mi ginecólogo decía: "Es un bebé precioso y debido a tu edad (tengo 40 años) te haremos una cesárea". Le pregunté "¿hay alguna otra razón por la que cree que necesito una intervención quirúrgica?". "Ninguna", dijo, "pero tu cuerpo no funciona tan bien como el de una joven". Yo dije: "gracias, pero no. Agradezco su preocupación, pero me encuentro en forma y me siento más sana que antes de estar embarazada. Practico natación todos los días y quiero tener este niño de la forma más natural posible".»

Recogiendo información...

— ASISTENCIA SANITARIA —

Aunque la asistencia de que puedes disponer depende en parte del lugar donde vives, deberás elegir entre acudir a un médico especialista, ya sea privado o de la seguridad social, ser asistida por un médico general y una comadrona, o por un equipo de comadronas. Tu propio médico de cabecera puede atenderte durante el embarazo y posparto, pero no durante el parto. Quizás prefieras que en esta época te atienda un médico especializado o que se trate de una mujer. Pero recuerda que hay muchos más hombres especializados en obstetricia que mujeres.

Si quieres que te atienda una comadrona, averigua antes de qué asistencia médica podrás disponer si aparecen problemas durante el embarazo o el parto. Las comadronas están especializadas en partos y pueden atender sin problemas nacimientos normales y enfrentarse a muchas situaciones anómalas y urgencias, siempre que dispongan de apoyo médico.

«Sé que mi cuerpo funcionará mejor si tengo al niño en casa. Me relajaré más. Cuando era pequeña abusaron sexualmente de mí. Sé que esto les a sucedido a muchas mujeres pero no quiero ser considerada una víctima por mi médico, así que aunque él es muy simpático, no me siento cómoda hablando sobre este tema. Aunque me doy cuenta de que en mi caso existen riesgos, he optado por el parto en casa por razones personales muy importantes.»

— SEGURIDAD Y CONFIANZA —

Es posible que dejar todas las decisiones en manos de los especialistas te haga sentir más segura, aunque quizás prefieras ocuparte tú de ello y ser consultada sobre todo lo que se te va a hacer, y participar en el proceso de decisión. Piensa cuál de estas dos actitudes va más contigo.

...hablando con el especialista...

«Le dije al médico que quería estar segura de que me pondrían la anestesia epidural. El dijo "sí, si provocamos el parto. Si no es así, no podremos garantizárselo porque el anestesista sólo está aquí los martes, miércoles y viernes". No me convenció su respuesta y cambié a otro hospital.»

«Está muy bien hablar sobre tomar decisiones, pero es mi primer hijo y no tengo bastante información. Cuando le preguntaba, el médico decía: "No te preocupes". Cuando empecé a ir a clases es cuando comence a tratar con total libertad temas como la episiotomía.»

— ACTUACIONES —

Las actuaciones médicas en el parto incluyen la ruptura artificial de la bolsa de las aguas o la infusión de hormonas sintéticas, ya sea para iniciar o para acelerar el parto; infusión de soluciones intravenosas de glucosa; así como la extracción con forceps o con ventosa y la episiotomía (corte) para ayudar a salir al niño. Incluso las técnicas de respiración para empujar y acelerar la segunda fase requieren un control del ritmo espontáneo de la mujer. En algunos hospitales muchas de estas acciones se realizan de forma sistemática.

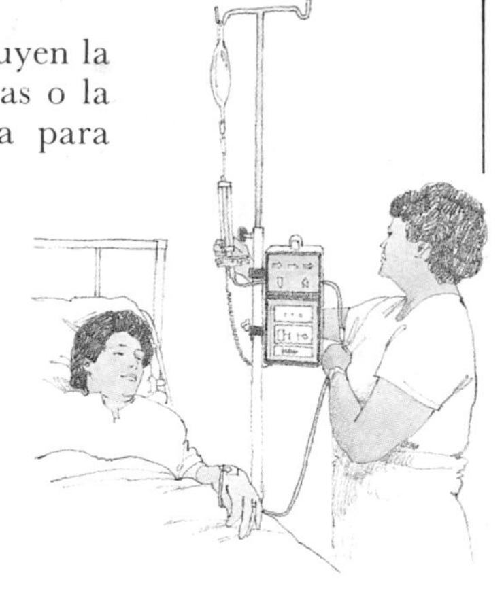

...durante el parto...

— ELECCIÓN DE UNA PERSONA DE APOYO PARA EL PARTO —

La persona que te acompañará durante el parto es la que eliges como apoyo fundamental, por lo que deberá comprender tus deseos y compartir contigo las clases de preparación. Puede ser el padre de tu hijo, una amiga o un familiar. Lo más importante es que la elijas tú porque deseas que esté contigo, no simplemente porque es alguien cercano a ti.

...eliges una persona de apoyo para acompañarte en el parto...

— CONTROL DEL DOLOR —

El dolor que se siente durante el parto y la expulsión es muy distinto del que se siente al romperse una pierna o al dolor de muelas. Si piensas que es un «dolor con un objetivo», podrás controlarlo mejor. En las clases de preparación para el parto aprenderás a controlar y mitigar el dolor utilizando la relajación y la respiración para abrir al máximo la pelvis y colocarte en posiciones cómodas, y para visualizar la fuerza del útero empujando al bebé hacia abajo. Puedes decidir aprovechar las ventajas de los medicamentos, tranquilizantes, petidina y anestesia epidural, que te duerme de la cintura para abajo.

— EL LUGAR DE NACIMIENTO —

El lugar donde tendrás al bebé está estrechamente relacionado con el tipo de asistencia que has elegido. Los médicos suelen atender en hospitales. Las comadronas asisten tanto en el hogar como en los hospitales. Antes de tomar una decisión pide que te enseñen los distintos lugares para el parto y el material que se emplea.

...por fin tienes a tu hijo en brazos.

TUS DECISIONES

P Durante el embarazo y el parto, ¿prefieres que te consulten sobre todo lo que te hagan, e intervenir en la toma de decisiones? Si es así, ¿por qué?

DECISIONES IMPORTANTES. *Tómate tiempo para decidir cuáles son tus prioridades.*

P ¿Quién te gustaría que te cuidara durante el embarazo?

P ¿Quién te gustaría que te atendiera durante el parto?

P ¿Preferirías dejar las decisiones sobre tu cuidado enteramente a los profesionales? Sí es así ¿por qué?

P Si quieres tomar responsabilidades sobre tu propio cuerpo y tu bebé, ¿quién puede ayudarte proporcionándote la información que necesitas?

P ¿Qué piensas sobre las actuaciones médicas que se realizan durante el parto?

P ¿Te gustaría tener una persona de apoyo durante el parto?

P Si es así, ¿quién te gustaría que fuera?

P ¿Deseas aprender las técnicas para controlar y aliviar el dolor?

FECHA DE HOY

P ¿Preferirías utilizar medicamentos para aliviar el dolor?

P Si puedes elegir, ¿qué sitio preferirías para que naciera tu hijo?

P ¿Qué otras cosas consideras importantes sobre el embarazo y el parto?

PLANES PARA EL FUTURO. *Todos los planes que hagas para el futuro y las alternativas que consideres te serán de utilidad*

EL LUGAR DE NACIMIENTO

DEPENDIENDO DEL LUGAR DONDE VIVAS, podrás tener a tu hijo en un hospital grande, en un hospital pequeño, en una clínica privada o en el hogar. Sin embargo, como se están cerrando muchos hospitales pequeños muchas mujeres se ven obligadas a desplazarse a los principales, por lo que no siempre podrás elegir.

— CONSIDERA TUS POSIBILIDADES —

Los hospitales grandes disponen de todo el material y el equipo necesario para hacer frente a partos difíciles. También disponen de incubadoras para los niños prematuros o los que nacen con problemas. Puedes elegir entre permanecer unos días en el hospital o abandonarlo tras el parto.

¿Sabías que...?

- Para las mujeres con embarazos de bajo riesgo el parto en casa es tan seguro como el parto en el hospital.
- Algunos hospitales tienen paritorios con iluminación tenue, y en algunos casos con cama de matrimonio.
- Si deseas que se te practique anestesia epidural, debes enterarte de qué hospitales la administran.
- La realización de un plan de nacimiento (*véanse* páginas 80-81) permitirá al médico y a la comadrona ayudarte a que consigas el tipo de parto que deseas.

MATERNIDADES. *En éstas el ambiente es familiar y acogedor.*

En los hospitales pequeños o maternidades el ambiente es mucho más familiar y relajado y normalmente te atenderán las mismas personas que te han cuidado durante el embarazo. Algunas maternidades forman parte o se encuentran junto a hospitales más grandes. Otras son unidades independientes.

En tu casa estás en tu terreno, y las personas que vienen a ayudarte, ya te conocen y están allí como huéspedes. El nacimiento tiene lugar dentro del núcleo familiar, y pueden presenciarlo tus otros hijos. Si decides tener el niño en casa, o abandonar el hospital justo después del parto, necesitarás mucha ayuda cuando nazca el bebé.

— CÓMO TOMAR LA DECISIÓN —

Habla con otras madres sobre el lugar donde dieron a luz y sobre su experiencia. Pide más información a tu comadrona o a tu médico (*véanse* también las páginas 126-127 en las que se recomiendan libros). Es conveniente investigar todas las opciones antes de decidir cuál es la mejor para ti y para tu hijo.

«Sólo me encuentro segura en un hospital. Prefiero que durante el parto me atienda un grupo de especialistas.»

«Nuestra maternidad es muy agradable, parece más un hotel pequeño que un hospital. Hay muy poca asistencia médica durante el parto y no te sientes atada a todas esas máquinas.»

«Voy a tener el niño en casa porque aquí me siento totalmente relajada y confío en que podré dar a luz a mi manera y en el momento que me toque.»

«Antes de decidirme quería informarme. He hablado con otras mujeres que han dado a luz en distintos sitios y con distintos médicos y comadronas. Ahora me encuentro mucho mejor informada.»

La alta tecnología de los hospitales puede hacer frente a las urgencias.

EL LUGAR DE NACIMIENTO DE TU HIJO

P ¿Qué lugar has elegido para el parto y por qué?

P Si vas a dar a luz en un hospital, ¿preferirías ser dada de alta en seguida o quedarte unos días?

P Si vas a abandonar el hospital después del parto, o vas a tener al niño en casa, ¿quién te ayudará después del nacimiento?

FECHA DE HOY

CUIDADOS ANTENATALES

EL TÉRMINO «CUIDADOS ANTENATALES» se refiere normalmente a la asistencia que recibes durante el embarazo, por parte de los médicos y comadronas que te visitan regularmente, ya sea en tu casa o en sus consultas. Durante este tiempo pasas revisiones periódicas de salud mediante pruebas de rutina (*véanse* páginas 22-23) y pruebas especiales, si las necesitas (*véanse* páginas 34-35). De cualquier modo, la ayuda de los especialistas sólo sirve para reforzar el apoyo que te proporcionas tú misma, tu familia y tus amigos.

“*En la clínica había muchas cosas interesantes. Un folleto decía que podías hablar con otras mujeres y ver un vídeo sobre un parto. Pero nosotros estábamos nerviosos y temíamos que se nos pasase el turno, así que permanecimos sentados esperando.*”

— TU MÉDICO —

La primera visita al médico suele ser emocionante porque aunque no se nota que estás embarazada, quizás tú ya sepas que lo estás o lo descubras en esa ocasión. Tu médico hablará contigo sobre el lugar donde deseas tener al niño y sobre el tipo de asistencia que deseas recibir.

La mayoría de las mujeres acude a hospitales. Una de las opciones que tienes es la llamada asistencia mixta: das a luz en el hospital bajo la supervisión de un tocólogo, pero la mayor parte de los cuidados los recibes de tu médico de cabecera y de una comadrona en la clínica de maternidad. Algunos médicos de cabecera y comadronas se ocupan de todos los cuidados que requieres durante el embarazo en una maternidad o en el hogar. Averigua qué otras opciones existen donde tú vives.

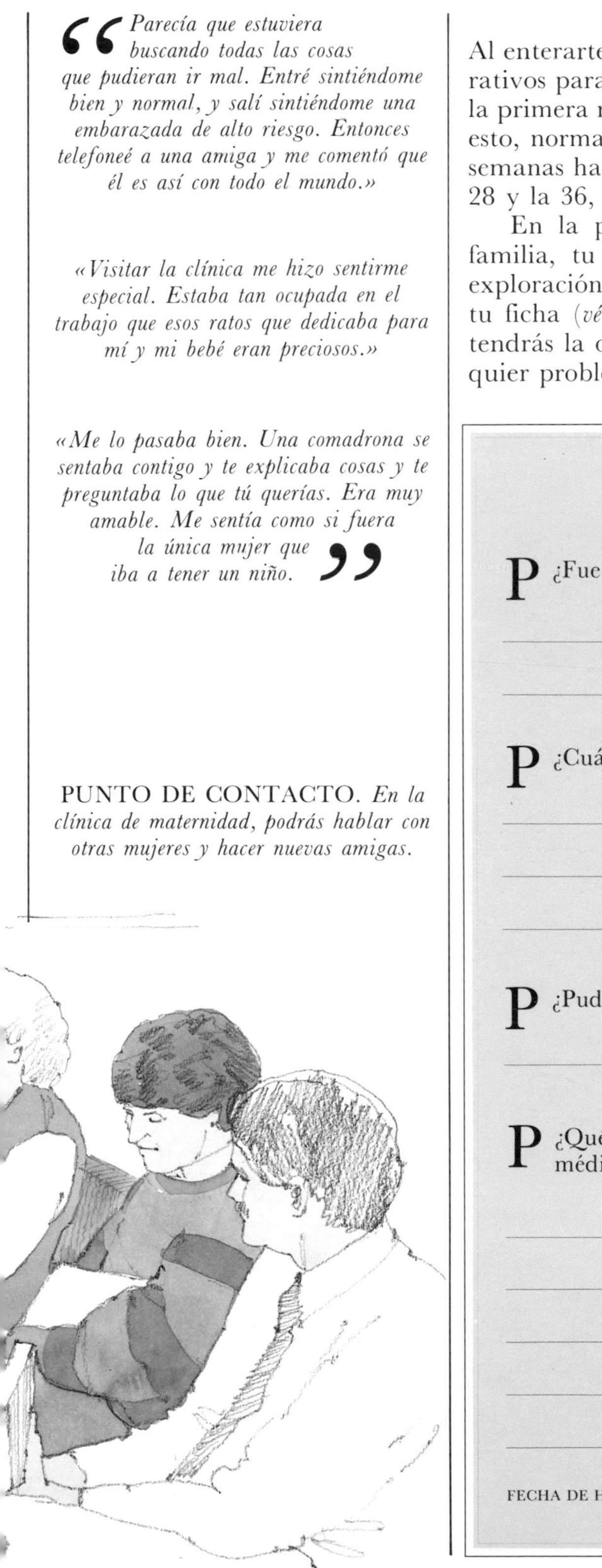

«Parecía que estuviera buscando todas las cosas que pudieran ir mal. Entré sintiéndome bien y normal, y salí sintiéndome una embarazada de alto riesgo. Entonces telefoneé a una amiga y me comentó que él es así con todo el mundo.»

«Visitar la clínica me hizo sentirme especial. Estaba tan ocupada en el trabajo que esos ratos que dedicaba para mí y mi bebé eran preciosos.»

«Me lo pasaba bien. Una comadrona se sentaba contigo y te explicaba cosas y te preguntaba lo que tú querías. Era muy amable. Me sentía como si fuera la única mujer que iba a tener un niño.»

PUNTO DE CONTACTO. *En la clínica de maternidad, podrás hablar con otras mujeres y hacer nuevas amigas.*

— VISITA A LA CLÍNICA —

Al enterarte de que estás embarazada puedes empezar a hacer preparativos para el cuidado antenatal. La mayoría de las mujeres se hace la primera revisión entre la duodécima y la decimosexta semana. Tras esto, normalmente se visita al médico o a la comadrona cada cuatro semanas hasta la semana 28 de embarazo, cada dos semanas entre la 28 y la 36, y semanalmente desde la semana 36 hasta el parto.

En la primera visita te preguntarán cosas sobre ti misma, tu familia, tu historial médico, y embarazos previos. Te harán una exploración y algunos análisis rutinarios. Los resultados se anotan en tu ficha (*véase* página 24), y se archivan. En tus visitas a la clínica tendrás la oportunidad de discutir sobre tus cuidados (y sobre cualquier problema) con tu médico.

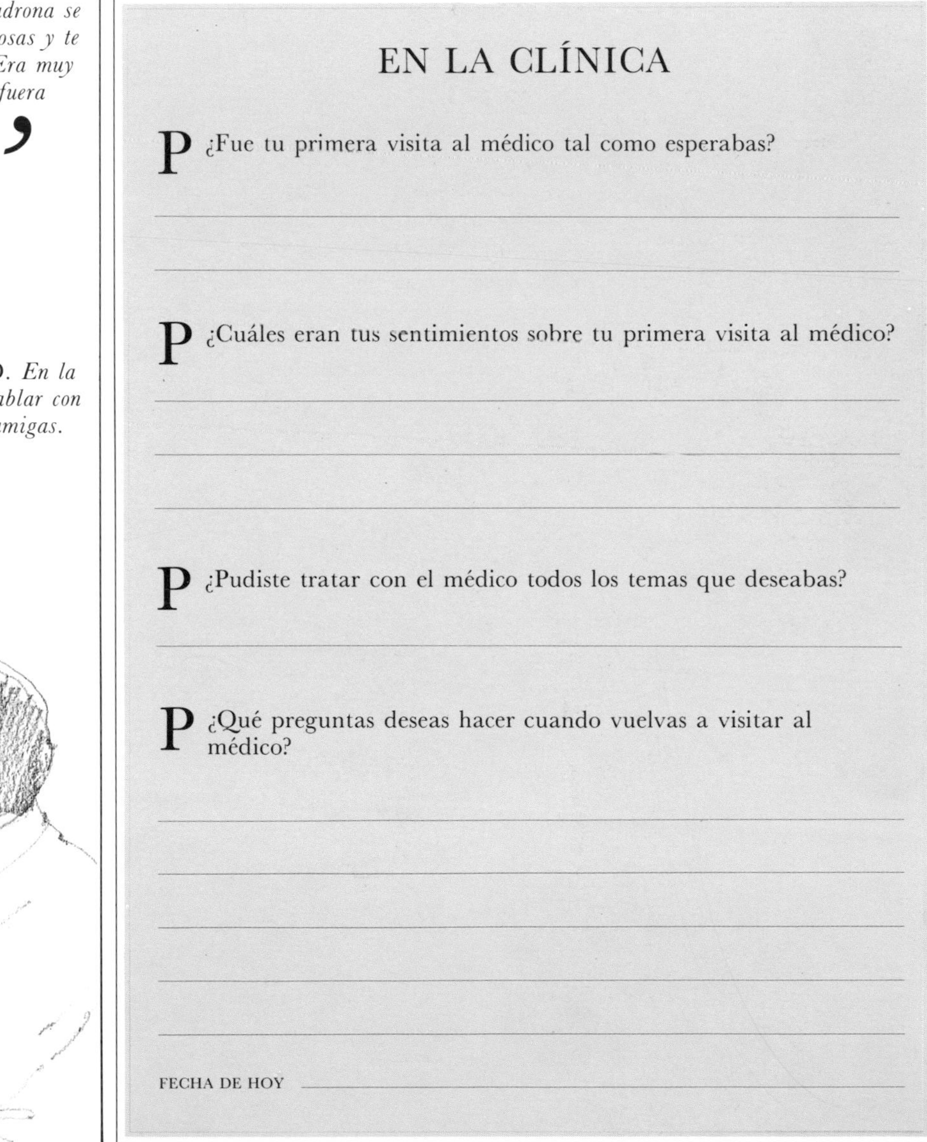

EN LA CLÍNICA

P ¿Fue tu primera visita al médico tal como esperabas?

P ¿Cuáles eran tus sentimientos sobre tu primera visita al médico?

P ¿Pudiste tratar con el médico todos los temas que deseabas?

P ¿Qué preguntas deseas hacer cuando vuelvas a visitar al médico?

FECHA DE HOY

PRUEBAS DE RUTINA

A LO LARGO DEL EMBARAZO SE REALIZAN PRUEBAS RUTINARIAS DE FORMA REGULAR, que sirven para controlar tu salud y la de tu hijo. Se pueden realizar en la maternidad o en el hogar. Si aparecen problemas tu médico y comadrona te controlarán más y realizarán pruebas especiales en caso de ser necesario (*véanse* páginas 34-35).

— TOMA DE LA TENSIÓN ARTERIAL Y ANÁLISIS DE ORINA —

Cada vez que visites al médico o la comadrona, te tomarán la tensión arterial puesto que un pequeño número de mujeres tienen la tensión elevada y esto puede desembocar en preeclampsia (*véase* página 92). La tensión arterial puede elevarse simplemente porque te encuentras tensa o nerviosa, quizás como resultado de una larga espera en la clínica. En este caso pídele al médico o a la comadrona que lo revisen de nuevo cuando estés más relajada.

Los análisis de orina son importantes porque pueden poner de manifiesto signos de infección. La extensión de proteínas en la orina puede ser un signo de preeclampsia (*véase* página 92) y el hallazgo repetido de azúcar en los análisis puede ser un signo de diabetes. Pero el hallazgo ocasional de glucosa puede deberse simplemente a la ingestión de alimentos dulces, como por ejemplo los plátanos.

FACTOR TIEMPO *La tensión arterial es más baja al principio del día.*

«Estaba decidida a preguntarlo todo y no dejar que me pasaran las cosas sin entenderlas. La hermana de la clínica dijo "es maravilloso que alguien esté tan interesado", y me lo explicó todo en detalle.»

«Esperaba poder tener una conversación sobre mi embarazo, pero cada vez que sacaba el tema me interrumpían con expresiones tranquilizadoras. He escrito una carta al médico para decirle que me gustaría poder tener una charla en la próxima visita y enterarme mejor de lo que está pasando.»

REDUCCIÓN DE PESO. *Evita las dietas de adelgazamiento exageradas durante el embarazo.*

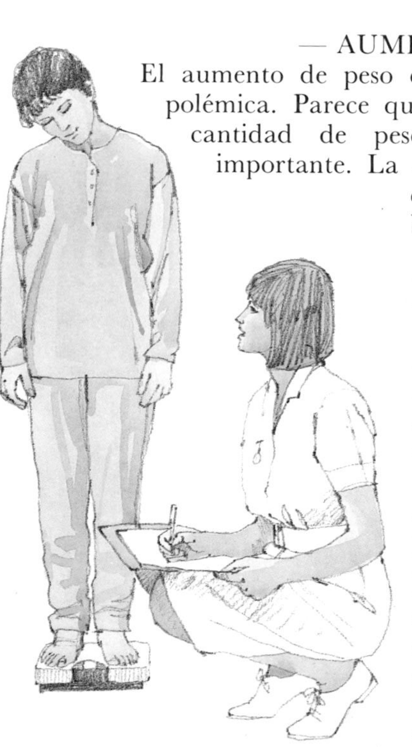

— AUMENTO DE PESO —

El aumento de peso es un tema que siempre levanta polémica. Parece que nadie sepa con exactitud si la cantidad de peso que aumentas es un dato importante. La mayoría de las mujeres aumenta entre 9,6 y 19,2 kg durante el embarazo, que se reparten así:

El bebé, 2,9 - 4,8 kg.
Placenta, 480 - 960 g.
Útero, 960 g.
Líquido amniótico, 960 g.
Mamas, 480 g - 1,44 kg.
Sangre, 1,2 - 1,92 kg.
Grasa, 2,4 - 3,8 kg.
Tejidos y líquido, 1,9 - 3,4 kg.

El edema de los pies y los tobillos, y a veces también de las manos y los dedos, es un signo común, especialmente cuando hace calor. Un aumento *repentino* de peso combinado con un edema excesivo puede ser un signo de preeclampsia y se le debe prestar atención.

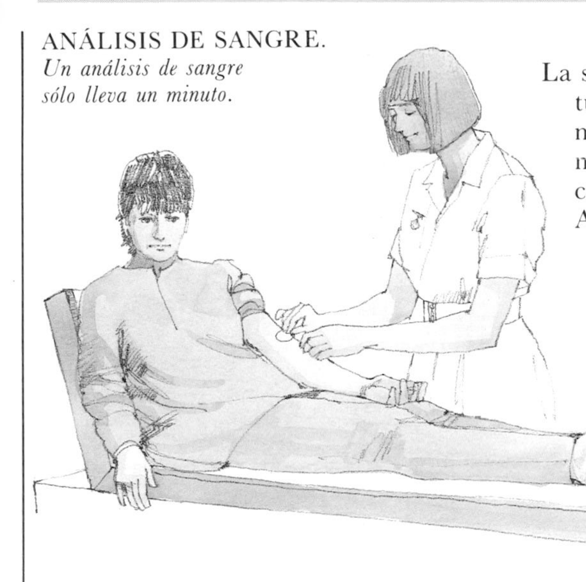

ANÁLISIS DE SANGRE.
Un análisis de sangre sólo lleva un minuto.

— ANÁLISIS DE SANGRE —

La sangre que te extraen en tu primera visita al médico revela tu grupo sanguíneo. También indica si eres Rh positivo (como la mayoría de las personas) o Rh negativo, si estás inmunizada frente a la rubéola, y el nivel de hemoglobina (recuento de hierro). También se hace una prueba de sífilis. Aunque esta enfermedad es rara, puede transmitirse al bebé. Si tú eres Rh negativo y el padre es Rh positivo, habrá que realizar análisis posteriores para determinar si has producido anticuerpos (*véase* página 51). A todas las mujeres se les controla el nivel de hemoglobina por que tiende a descender naturalmente durante el embarazo. Para ayudar a mantenerlo, come alimentos ricos en hierro tales como verduras de hojas verdes, albaricoques, yema de huevo bien cocida y cereales integrales.

¿QUÉ ES LA PALPACIÓN?

Durante el embarazo, tu médico y comadrona te palparán el abdomen regularmente, empleando el tacto para determinar cómo están creciendo tu útero y tu hijo. Un útero grande puede ser el primer signo de que estás esperando gemelos.

Al cabo de 20 semanas, intentarán tocar la cabeza del bebé, las nalgas, las extremidades y la espalda para saber en qué posición está colocado y si su tamaño es correcto para la fase de embarazo. El bebé cambia de posición muchas veces, pero al cabo de 34 semanas tiende a estar colocado hacia arriba o hacia abajo (*véanse* páginas 98-99).

Los especialistas observan cómo se mueve el niño en el útero y escuchan su ritmo cardíaco. Los movimientos vigorosos y un pulso fuerte son signos de bienestar. En las últimas semanas ya pueden notar lo profunda que está la cabeza o las nalgas del niño en la pelvis.

El especialista intenta tocar la parte superior del útero para comprobar si su tamaño es correcto.

Observa sobre qué lado de la espalda está el bebé. Podrás notar sus patadas en el lado opuesto.

Comprueba el tamaño del bebé y si está colocado hacia arriba o hacia abajo.

Intenta determinar si ha entrado parte de la cabeza o de las nalgas en la pelvis.

CÓMO DESCIFRAR TUS HOJAS DE EVOLUCIÓN

CADA VEZ QUE VISITAS AL MÉDICO, se recoge y anota información sobre tu embarazo en una ficha, que te puede ser entregada. Si te atienden de forma mixta, entre el hospital y tu médico de cabecera, te será entregada una copia de los resultados de los análisis. Sin embargo, es posible que no entiendas muchos datos ya que algunos de ellos son términos abreviados. La siguiente tabla contiene los más utilizados.

CONTROLANDO EL PROGRESO. *Podrías ver por ti misma cómo va tu embarazo leyendo tu hoja de evolución.*

«Mi clínica es fenomenal. Tienen unos carteles en la pared que explican lo que significa cada cosa. Así no te aburres mientras estás en la sala de espera.»

«¿Por qué no utilizarán palabras normales en lugar de esa jerga para explicarte lo que significa?»

ABREVIATURAS Y TÉRMINOS MÉDICOS

Cf: Corazón fetal.

CS: Cesárea.

CSI: Cesárea de segmento inferior.

Cx: Cervix.

DN: De nalgas.

FPI/FPP: Fecha prevista de ingreso/fecha prevista para el parto.

Hb: Hemoglobina de la sangre. Las mujeres que tienen bajos niveles de hemoglibina deberán tomar suplementos de hierro.

HPP: Hemorragia previa al parto: sangrado a partir de las 28 semanas de embarazo.

HP: Hemorragia posparto: sangrado excesivo en cualquier momento.

IE: Interrupción del embarazo.

LA: Lactancia artificial.

Lanugo: Pelusa del recién nacido.

LCN: Longitud de la cabeza a las nalgas: longitud del feto desde la coronilla hasta las nalgas.

LM: Lactancia materna.

MOM: Muestra de orina de media micción.

bMultípara: Mujer que ya ha tenido hijos.

NAL: Nacido antes de llegar: el bebé nació antes de que llegaran el médico o la comadrona.

NM: Nacido muerto.

NNA: No se detecta nada anormal.

P + B: Placenta y bolsa de aguas.

PP: Parto provocado.

P: Presentación, la parte del bebé que aparece por el cérvix.

RAB: Ruptura artificial de la bolsa de aguas.

RCF: Ritmo cardíaco fetal.

RCFR: El ritmo cardíaco fetal se oye y es regular.

REBA: Ruptura espontánea de la bolsa de aguas.

Rh+/Rh−: Presencia o ausencia del factor Rh en la sangre.

TA: Tensión arterial.

TPE: Toxemia pre-eclámpsica.

UCEI: Unidad de cuidados especiales infantil.

US: Ecografía.

Vérnix: Sustancia cremosa y blanquecina del recién nacido, más habitual cuando el bebé es prematuro.

Vx Vértex: Cabeza abajo.

LA PÉRDIDA DE UN BEBÉ

EN TODO EL MUNDO el nacimiento de un niño significa esperanza y alegría. Es parte del ciclo de la vida: estar embarazada es como estar madura; dar a luz es ser fértil. Cuando el embarazo fracasa debido a un aborto, o a la muerte del bebé en el parto, es como si el orden natural de las cosas se hubiera interrumpido.

— ¿A QUÉ SE DEBEN LOS ABORTOS? —

La mayoría de los abortos se producen en las 12 primeras semanas de embarazo. Normalmente su razón se desconoce, aunque quizás había algún error en los cromosomas, la parte de la célula que lleva los genes que determinarán las características del niño. En ocasiones el acúmulo de células no es capaz de obtener suficiente alimento de la pared del útero debido a que el equilibrio hormonal de la mujer no es correcto, y las células no pueden desarrollarse.

— COMPRENDE TUS SENTIMIENTOS —

Un aborto puede constituir una experiencia demoledora y no sólo porque signifique la pérdida de un bebé. Cuando pierdes un bebé te sientes distinta de las demás mujeres. Si es tu primer embarazo, puede que te preguntes si serás capaz de tener hijos. Quizás no soportes ver a mujeres embarazadas o bebés. Estas sufriendo por el bebé que has perdido y te preguntas cómo hubiera sido. También sientes la pérdida de tu propio yo como madre. El saber que pueden aparecer estos sentimientos te prepara para enfrentarte a ellos y aceptarlos, y te da fuerzas.

TE SIENTES SOLA. Como resultado de tu pérdida puedes sentirte distinta de las mujeres que tienen niños.

Preparación para tu próximo embarazo

Estos son algunos consejos que debes considerar antes de planear tu próximo embarazo.

- Las mujeres que fuman corren un riesgo de abortar mucho mayor. (También corren riesgo de tener bebés prematuros o problemas de crecimiento en el útero.)
- El dejar de fumar unos meses antes de planear un embarazo, aumentará tus posibilidades de éxito. Los trucos para dejarlo están en la página 33.
- El abandonar este hábito también beneficiará tu salud general.
- Piensa en la nutrición: una dieta equilibrada y variada ayuda a tu organismo a funcionar eficazmente.
- Repasa la lista de alimentos recomendados de la página 31.
- Los alimentos ricos en cinc pueden ayudar al crecimiento del bebé. Las fuentes de cinc son el salvado de trigo, la cebada, la harina integral, la levadura, las semillas de sésamo, la yema de huevo (bien cocida), y algunos quesos como el Edam y el Cheddar.

«No puedo confiar ya en mi cuerpo. Siempre he confiado en él, pero ahora me siento como incapacitada. Creo que me costará algún tiempo superar este sentimiento, y sólo el tener un embarazo a término me devolverá la confianza en mi misma.»

«Stephen no quiere hablar sobre la muerte del niño, y cree que cuanto antes lo onvidemos mejor. Necesitaba hablar sobre él, tener fotos suyas alrededor y eso le molestaba. Pero ahora estamos en tratamiento con un psicólogo y nos ha ayudado a comprender que cada uno ha intentado superar esta pérdida a nuestra manera.»

Semana 9 *a* 12

AHORA, TU ÚTERO es un poco mayor que una pelota de tenis. Aún está en la parte inferior de la pelvis y presiona contra la vejiga, lo que te hace orinar con más frecuencia. Quizás tengas los pezones más grandes, y las areolas más oscuras. Tus pechos están más llenos, y tienes en ellos la misma sensación que en los días anteriores a la regla. Puedes notar una sensación de plenitud en la parte inferior del abdomen, como si fueras a tener la menstruación. La idea de estar embarazada hace vibrar a todo tu cuerpo.

La sexualidad durante el embarazo

- Algunas mujeres pierden el interés en el sexo porque se encuentran cansadas, sienten náuseas o intentan proteger al bebé.
- Los hombres pueden sentir miedo de hacer daño al niño.
- El sexo no es sólo el acto sexual. Es todo tipo de relación con tu pareja, la forma en que os habláis, os miráis, os acariciáis y os preocupáis el uno del otro.

«La última vez tuve un aborto, así que ahora me estoy tomando la vida con mucha calma y no hago excesos en ningún aspecto.»

«Cuando vuelvo de trabajar me tumbo en la cama y no me puedo mover. En la sexualidad ni pienso. En lugar de ello Peter me da unos fantásticos masajes de espalda.»

CAMBIOS FÍSICOS Y EMOCIONALES

P ¿Has notado algún cambio en tus pechos.

P ¿Has notado otros cambios físicos?

P ¿Tu embarazo ha influido de algún modo sobre la relación con tu pareja?

P ¿Ha influido el embarazo en tus sentimientos sobre la sexualidad?

FECHA DE HOY

Semana 9 DIA / MES / AÑO

D
L
M
X
J
V
S

Semana 10 DIA / MES / AÑO

D
L
M
X
J
V
S

Semana 11 DIA / MES / AÑO

D
L
M
X
J
V
S

Semana 12 DIA / MES / AÑO

D
L
M
X
J
V
S

CÓMO ESTÁ CRECIENDO TU BEBÉ

Al cabo de 12 semanas ya se ha producido la diferenciación sexual y el embrión presenta los órganos que lo caracterizan como hombre o mujer. Lo riñones están formados y el embrión comienza a excretar orina al líquido amniótico en el que está flotando. También se han formado los párpados, y los ojos, que antes carecían de párpados, están cerrados. Se están formando las raíces de los dientes y las cuerdas vocales empiezan a desarrollarse.

El bebé empieza a moverse, al principio con contracciones y temblores que empiezan en los brazos y las piernas, y se extienden hacia el cuello y el tronco. A continuación empieza a doblar y extender las piernas, a hacer movimientos uniformes, a abrir y cerrar los puños, y a levantar e inclinar la cabeza. Pero aún es demasiado pequeño para que tú notes estos movimientos.

EL BEBÉ HACE EJERCICIOS.
El bebé desarrolla sus músculos mediante ejercicios vigorosos en el útero. Se puede mover con facilidad porque se halla flotando en el líquido amniótico.

A las nueve semanas el bebé mide 6 mm, aproximadamente el tamaño de un guisante.

A las 12 semanas, el cuerpo del bebé mide 4 cm, aproximadamente el tamaño de la falange superior de tu dedo gordo, y pesa unos 6 gramos.

¿Sabías que...?

- En esta fase el bebé se halla situado en la parte superior del útero. La parte inferior que está por encima de la pelvis, la boca del útero, se vuelve muy blanda, para actuar como un almohadón grande y suave para acomodar al bebé.
- El líquido amniótico en el que flota el bebé es agua enriquecida con sal. Los nutrientes de este líquido pasan por difusión a través de la piel del bebé, cuyo grosor es de muy pocas células, y son absorbidas por el bebé.

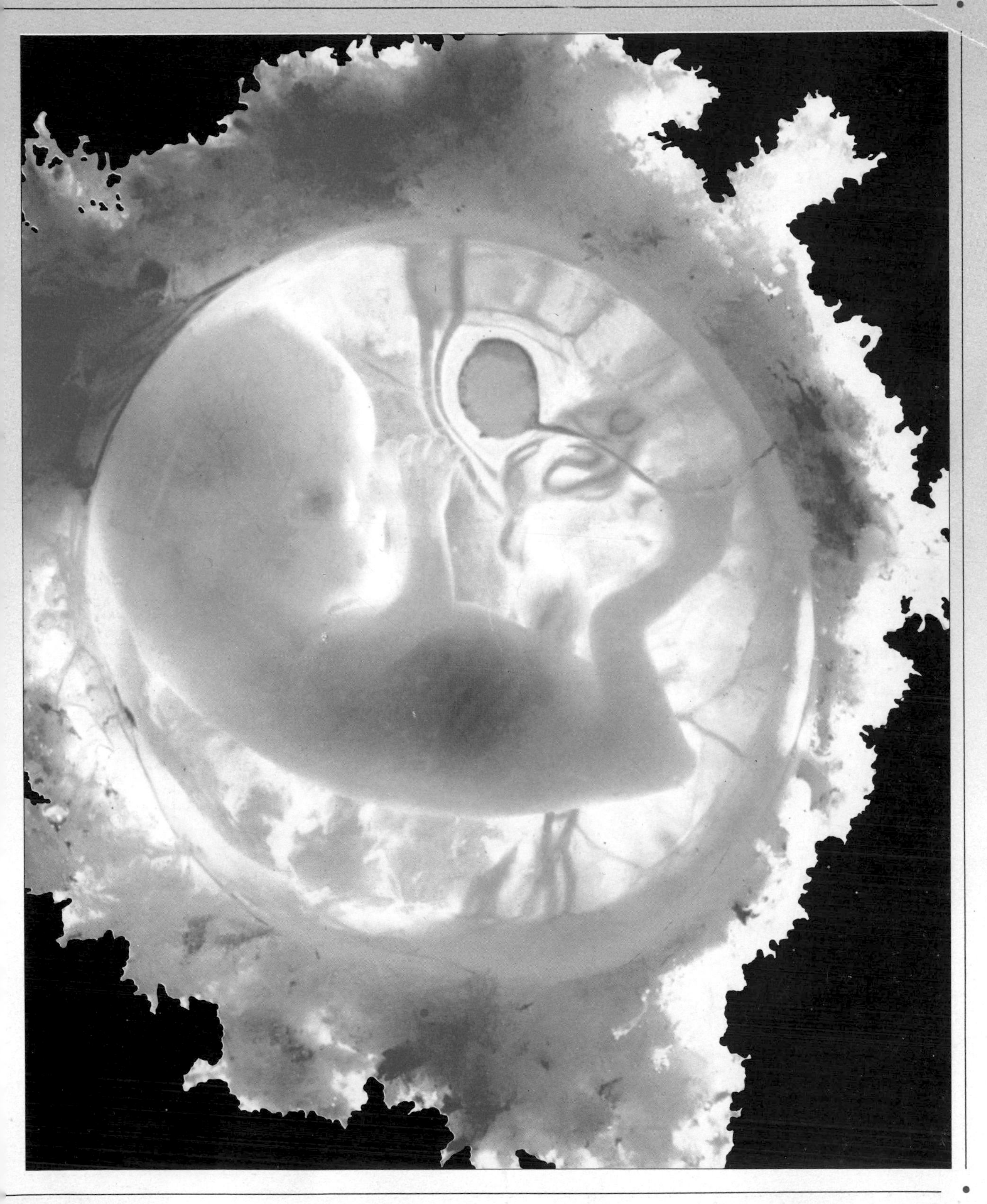

COMER BIEN

EL EMBARAZO REQUIERE ALIMENTOS DE CALIDAD. Esto no significa que tengas que comer alimentos caros o platos complicados, ni comida que no te guste. Debe consistir en una dieta variada de alimentos que te gusten y que sean adecuados para tu bebé, que te proporcionen energía y que hagan que tus ojos brillen, y que tu pelo y tu piel aparezcan radiantes.

— CÓMO CAMBIAR TU ALIMENTACIÓN —

Rechaza los alimentos preparados que contengan grasas, calorías inservibles y aditivos y colorantes artificiales. Intenta comer alimentos frescos y crudos que son ricos en vitaminas y minerales. Lava bien (o pela) las frutas y la verdura para eliminar los productos químicos de su superficie.

Elige carbohidratos integrales, que siempre han sido los alimentos básicos de la gente del campo: arroz negro, avena, pasta y pan integral. Come carne o pescado, productos lácteos y brotes de soja para conseguir un aporte adecuado de proteínas. Si deseas más información, pide consejo a tu ginecólogo o a un experto en dietética.

— CÓMO CAMBIAR TU ALIMENTACIÓN —

Para mantener tu nivel de energía, es mejor comer con frecuencia y en pequeñas cantidades alimentos de calidad como cacahuetes, pasas o fruta fresca que tomar sólo dos comidas al día. La hormona progesterona relaja los músculos intestinales durante el embarazo, por lo que algunas mujeres padecen estreñimiento. Para evitarlo bebe mucho líquido y come ciruelas y cereales ricos en fibra. Si sufres indigestión, elimina los alimentos grasos y come lentamente. Si tomas vino, dilúyelo con gaseosa. Si te gusta el café, bébelo sólo descafeinado. Son mejores el agua mineral y los zumos de fruta que los refrescos con edulcorantes artificiales.

Si tu pareja o amigo se presta a comprar o a cocinar para ti, podrás disfrutar de unas comidas muy relajadas sin tenerlas que preparar.

Almendra · *Avellanas* · *Ciruela* · *Lima* · *Uvas rojas* · *Uvas verdes* · *Manzana* · *Caballa* · *Perejil* · *Queso Cheddar* · *Semillas de girasol* · *Granos de pimienta* · *Berenjena* · *Ajos* · *Calabacines* · *Champiñones*

ELECCIÓN DE BUENOS ALIMENTOS

En la siguiente lista podrás encontrar algunos de los alimentos que son aconsejables para el embarazo. Señala los que comes dos veces al día o más.

CARBOHIDRATOS
Pan integral ☐ Patatas ☐
Arroz integral ☐ Pasta ☐
Copos de avena ☐

ALIMENTOS RICOS EN HIERRO
Verduras de hojas verdes ☐
Lentejas ☐ Huevos ☐ Frutos secos ☐ Carne roja ☐

ALIMENTOS RICOS EN VITAMINAS
Cítricos ☐ Patatas ☐
Tomates ☐ Berros ☐

PROTEÍNAS
Leche ☐ Queso ☐ Yogur ☐
Leche desnatada ☐
Pescado ☐ Cacahuetes ☐

P ¿Qué comiste y bebiste ayer?

____

FECHA DE HOY __________

NUEVOS SABORES

Las buenas dietas son variadas. Hazlas más sabrosas con hierbas, frutos secos y especias.

CÓMO ALIMENTAR A TU BEBÉ

HOY DÍA LOS RIESGOS DE TENER HIJOS SON MUCHO MENORES que antes, lo que no quiere decir que las mujeres embarazadas se preocupen menos por los peligros que pueden amenazar a los bebés antes de nacer. De hecho, hoy en día existe un aspecto que preocupa mucho más que en el pasado. Todos los días aparece en el periódico algún artículo sobre nuevos peligros ambientales. Parece que es imposible evitar por completo los productos químicos y las bacterias que contienen los alimentos que comemos, el agua que bebemos, e incluso el aire que respiramos, por mucho que lo intentemos. Este tema puede resultar muy preocupante para una mujer embarazada. De todas formas hay ciertas medidas que puedes tomar para protegerte y para hacer que tu útero sea un lugar lo más seguro posible para tu bebé.

Complejos vitamínicos

Anticatarrales

— DESARROLLO INICIAL —

Durante las primeras ocho semanas de embarazo, se están formando los órganos principales del bebé. Si el desarrollo normal se ve afectado, puede desembocar en un aborto, o en lesiones en el corazón, los pulmones, riñones, cerebro, ojos o paladar. A partir de este momento el riesgo es mucho menor, pero los venenos concentrados pueden aún provocar partos prematuros, interferir en el crecimiento, o influir negativamente sobre el posterior desarrollo mental y la conducta del bebé. Por tanto, para proteger al niño, puedes decidir evitar ciertas cosas mientras estás embarazada.

Riesgos que puedes evitar

- Fumar, y respirar en ambientes cargados de humo.
- Rayos X.
- Todos los medicamentos innecesarios.
- El consumo de grandes cantidades de alcohol.
- Consumo de drogas ilegales como el crack, la heroína, la cocaína y la marihuana.
- Consumo de huevos crudos o poco cocidos, que implican un riesgo de salmonellosis.
- Quesos tiernos y patés, riesgo de listeriosis.
- Contacto con excrementos de gato o de perro, riesgo de toxoplasmosis.
- Productos químicos peligrosos en productos de uso diario: pinturas, y conservadores de la madera como la creosota.
- Los vapores de disolventes como los que producen algunos limpiadores y adhesivos.

— MEDIDAS DE CONTROL —

Pregunta a tu médico si alguno de los medicamentos que tomas son dañinos para el bebé. En la mayoría de los casos, no hay datos suficientes para responder a esta pregunta con certeza. Si la respuesta es «sí», hay otros medicamentos que pueden sustituirlo, siendo mucho más seguros durante el embarazo. Si se sabe que un fármaco tiene efectos perjudiciales, pero es el mejor tratamiento para ti, consulta con tu médico los pros y los contras de dejar de tomarlo, comparados con los de seguir tomándolo. En este caso no se pueden aplicar reglas matemáticas, sino que hay que sopesar los riesgos y tomar tu propia decisión. Del mismo modo, consulta a tu farmacéutico sobre los riesgos de los medicamentos que te auto-recetas (como los analgésicos) antes de comprarlos.

Aspirina

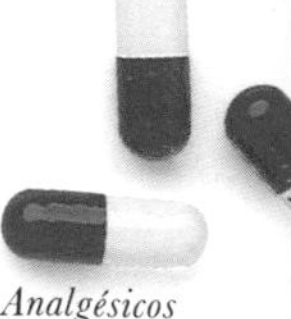

Analgésicos

Alcohol

«Durante mi embarazo nos trasladamos de casa y tuvimos que pintar la valla del jardín con barniz protector. Yo sabía que algunos barnices eran venenosos por lo que me aseguré de que la marca que comprábamos no era tóxica.»

«Me gusta pasear por el campo, pero en el sexto mes de embarazo había un helicóptero fumigando con lo que creo que era pesticida, y pensé que podía haber hecho daño al bebé. Estuve preocupada las dieciocho semanas siguientes hasta que nació. La cogí en los brazos y lloré de alivio al ver que era perfecta.»

«Mi médico me explicó que las medicinas que tomaba para controlar mi epilepsia podían provocar labio leporino y paladar hendido o incluso malformaciones cardíacas en el bebé. Pero también me dijo que si tenía convulsiones podrían interrumpir el aporte de oxígeno al bebé. Así que tuve que sopesar los riesgos de tener convulsiones frente al riesgo de tomar el medicamento. Decidía seguir con el fármaco.»

DEJAR DE FUMAR

Si fumas, el acto más sencillo de amor hacia tu bebé es dejarlo. Aparte del daño que te hace (aumenta el riesgo de accidentes vasculares o de cáncer de pulmón), el fumar puede reducir la cantidad de oxígeno que llega al bebé, interferir su crecimiento, contraer los vasos sanguíneos y provocar un parto prematuro. Si decides dejarlo, convierte el acto de fumar tu último cigarrillo en una ceremonia, y únete a alguien más que esté intentando dejarlo. Las personas que están acostumbradas a tener un cigarrillo en la mano, dicen que es muy útil mantener las manos ocupadas en alguna otra cosa.

Si dejar de fumar te resulta imposible, puedes hacer dos cosas: reducir el número de cigarrillos, o fumártelos sólo hasta la mitad.

Comprimidos para la indigestión

— SOPESA LOS RIESGOS —

No existe ningún embarazo que esté totalmente libre de riesgo, pero no permitas que esta idea domine tu embarazo. Todas las decisiones que tomas, incluso las más sencillas como por ejemplo el hecho de cruzar una calle, suponen una elección. Toda elección implica un cierto riesgo. Durante el embarazo, es especialmente difícil evaluar los riesgos porque tienes que pensar en dos personas como mínimo, tú y tu bebe, y quizás también en otros: tu pareja, tus hijos mayores, tus padres y tu jefe, por ejemplo. Tendrás que ser capaz de valorar los riesgos y tomar decisiones que tengan en cuenta tu propia vida y la forma en que la vives, cómo te sientes, y las cosas que son importantes para ti.

— UN ENTORNO MÁS SEGURO —

En cierto modo, tu salud y la de tu bebé están en tus manos. Puedes cuidarte bien, comer alimentos adecuados, descansar cuando lo necesitas y protegerte a ti y a tu bebé de productos químicos peligrosos. Al alimentarte, estás alimentando al bebé. Sin embargo, la salud de la mujer no depende únicamente de las decisiones que ella toma. Depende también del tipo de sociedad en la que vive, y de acontecimientos tales como guerras y carestía de alimentos, así como de la explotación y destrucción del medio ambiente natural.

Antitusígeno

Los efectos nocivos del comportamiento humano son (a gran escala) problemas de política social y cambios políticos. Ahora es cuando puedes decidir entrar en organizaciones de defensa del consumidor o grupos ecologistas y trabajar para intentar que el mundo sea un lugar más sano y más seguro en el que vivir, para que todos los niños puedan crecer en un medio seguro.

PRUEBAS ESPECIALES

EXISTEN DIVERSOS TIPOS DE PRUEBAS PRENATALES que pueden poner de manifiesto ciertas anomalías en el bebé. Algunas personas piensan que si la prueba revela una anomalía, lo mejor es interrumpir el embarazo, pero quizás tú no estés de acuerdo con ellas. Necesitarás tiempo para analizar tus sentimientos, discutirlos con tu pareja y especialistas e informarte mejor sobre el problema antes de tomar una decisión. Algunas mujeres se niegan a someterse a estas pruebas por que no creen en el aborto. Sin embargo, otras desean abortar lo antes posible si la prueba ha resultado positiva. Ciertas mujeres desean continuar con el embarazo aún sabiendo que el bebé morirá inevitablemente, o deciden tener un hijo con alguna anomalía. Sea cual sea el resultado, debe ser una decisión tuya, no de los médicos.

Los resultados

- Los resultados de una amniocentesis pueden tardar cuatro semanas o más.
- Ninguna de las pruebas actuales pueden garantizar que el bebé sea perfecto.
- Si se demuestra que el niño tendrá espina bífida (malformación de la columna vertebral) o síndrome de Down, nadie puede decir en qué grado estará afectado.
- La amniocentesis revela el sexo del bebé. Puedes optar por conocer el sexo o no. Algunas personas piensan que las mujeres no deben saber este dato, que en algunos casos puede empujarlas a decidir interrumpir un embarazo.

"Ya sé que hay un ligero riesgo de aborto, pero en mi opinión este riesgo no tiene importancia frente al de tener un niño con síndrome de Down y tenerlo que educar. Tengo 40 años y no se me ocurriría quedarme embarazada si no existieran estas pruebas."

— PRUEBA DE LA ALFA-FETOPROTEÍNA (AFP) —

Puede poner de manifiesto la posibilidad de una anomalía del tubo neural. El defecto más común es la espina bífida, que consiste en una malformación de la columna vertebral. Esta prueba es muy simple, pero muy inexacta. Mide la cantidad de AFP de la sangre. El nivel de proteína tiende a ser más alto de lo normal si vas a tener gemelos o si la fecha del embarazo no es exacta. Si la prueba AFP indica que hay riesgo de que el bebé tenga un defecto del tubo neural, habrá que realizar una amniocentesis.

— AMNIOCENTESIS —

La amniocentesis suele realizarse entre la semana dieciséis y diecisiete, aunque también se puede hacer un poco antes. Puede detectar el síndrome de Down y otros trastornos genéticos. Consiste en la inserción de una larga aguja, guiada por ecografía y con anestesia local, a través de la pared del addomen y útero para tomar una muestra de líquido amniótico. A continuación se realiza un cultivo de células. Después de la prueba, puedes perder un poco del líquido en el que se encuentra el bebé. El riesgo de que la amniocentesis produzca un aborto es del 1 por 100 y además eleva el riesgo de que el bebé presente problemas respiratorios sin causa aparente al nacer. Sobre un 3 por 100 de las pruebas fallan la primera vez, por lo que deben repetirse.

AMNIOCENTESIS
Aunque parece que la aguja se acerca mucho al bebé, éste se aleja de ella cuando se introduce.

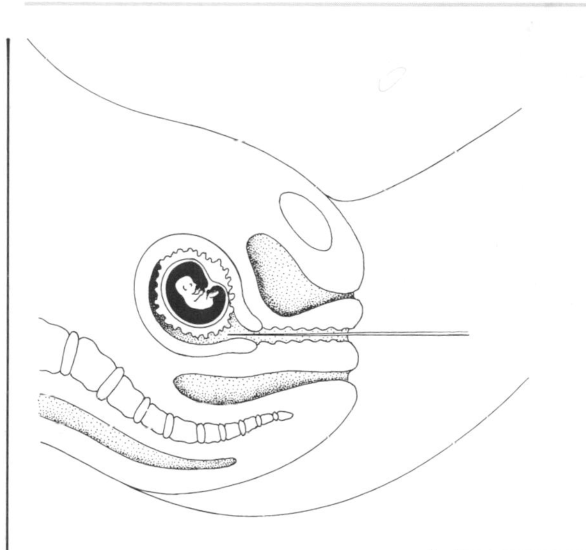

— BIOPSIA DE VELLOSIDADES CORIÓNICAS (BVC) —

Esta prueba se puede realizar a partir de las seis semanas de embarazo, por lo que mucha gente la prefiere a la amniocentesis. Las vellosidades coriónicas, que parecen pequeñas raíces (*véase* la fotografía de la página 41), formarán posteriormente parte de la placenta. Se forman a partir de la misma célula fecundada que el bebé, por lo que contienen información sobre las células del feto. La biopsia se realiza a través de la vagina y la pelvis. Se aspira una muestra celular con una aguja a través de un tubo de plástico y se examina por el microscopio. Se están realizando investigaciones en diversos hospitales para determinar si esta prueba conlleva riesgo de aborto y si es así cuál es el porcentaje de riesgo.

BIOPSIA DE VELLOSIDADES CORIÓNICAS

La aguja que se emplea para tomar una biopsia de vellosidad coriónica es guiada por ecografía.

“Si fuera a tener un bebé con malformaciones, por supuesto me sentiría muy triste, pero nunca abortaría. Por tanto, estas pruebas no me interesan.

«Me di cuenta que me habían hecho un análisis de sangre, pero no sabía para qué. Entonces recibí una carta, el día que nos íbamos de vacaciones, diciéndome que me tenían que hacer una amniocentesis. Llamé por teléfono y me recomendaron cancelar mi viaje. Estaba aterrada. Después, cuando me hicieron la amniocentesis, no encontraron nada anormal. Pero afectó al resto de mi embarazo y no dejó de preocuparme.»

«Por fin ha llegado el resultado. No era espina bífida. Estaba tan contenta que lloré de alegría y me pasé el resto del día llamando a todo el mundo para darles la buena noticia.”

COMPRENSION DE LAS PRUEBAS

P ¿Qué preguntas te gustaría hacer a tu especialista sobre la prueba de AFP, la amniocentesis y la BVC?

____

____

____

____

P ¿Te gustaría hacer alguna pregunta sobre la interrupción del embarazo? Si es así, ¿Qué preguntas?

____

____

____

____

____

FECHA DE HOY ______________________________

EN EL TRABAJO

GENERALMENTE EL TRABAJAR FUERA DEL HOGAR no representa problemas para el embarazo y el parto. Con mucha frecuencia olvidamos que el estrés laboral, la elevación de objetos pesados, y los productos químicos tóxicos constituyen problemas tanto para las mujeres que trabajan fuera del hogar como para las que trabajan en su casa.

— REDUCIR LOS RIESGOS —

Si sabes que trabajas en un medio poco seguro o con materiales peligrosos, consulta con tu médico cómo puedes reducir los riesgos para ti y para tu bebé. El encargado de personal y el médico de la empresa también pueden ayudarte. No es conveniente trabajar con personas que fuman ya que el humo reduce la cantidad de oxígeno que llega al bebé desde el torrente sanguíneo. Puedes solucionarlo cambiándote de sitio, colocándote junto a una ventana, o simplemente instalando un ventilador en tu mesa de trabajo. Pero lo ideal sería que se prohibiera el consumo del tabaco en el trabajo.

— CUÁLES SON TUS DERECHOS —

Tus compañeros de trabajo pueden mostrarse comprensivos y apoyarte pero en algunos casos las mujeres encuentran una actitud negativa. Al volver a trabajar después del parto a veces descubren que alguien ha ocupado su lugar o que les han descendido de categoría. Por tanto debes conocer tus derechos legales, laborales, tiempo que dura el permiso de maternidad y lo que te deben pagar.

CÓMO EVITAR LOS DOLORES DE ESPALDA

Los muebles no se suelen diseñar pensando en las mujeres embarazadas. En lugar de agacharte, ponte en cuclillas para llegar a los cajones de abajo.

VACACIONES

Si has decidido volver al trabajo inmediatamente después de tener a tu hijo, sería una buena idea planear unas vacaciones a mitad del embarazo si te es posible. En esta fase te encontrarás bien, y será tu última oportunidad de tomarte un verdadero descanso. Además te servirá para recuperar energías y prepararte para el parto y el cuidado de tu hijo.

El permiso de maternidad se puede coger un mes antes de la fecha prevista para el parto, pero a menos que te encuentres muy cansada o tengas complicaciones como por ejemplo tensión elevada, seguramente querrás seguir trabajando hasta el último momento. Deberás reincorporarte al trabajo cuatro meses después del parto si quieres conservar tus derechos laborales.

“En el trabajo me trataron muy bien. Desde la sexta a la duodécima semana, tuve náuseas y vómitos a lo largo de todo el día. Me dejaban llevar el trabajo a casa con lo que me podía organizar sin molestar a nadie.”

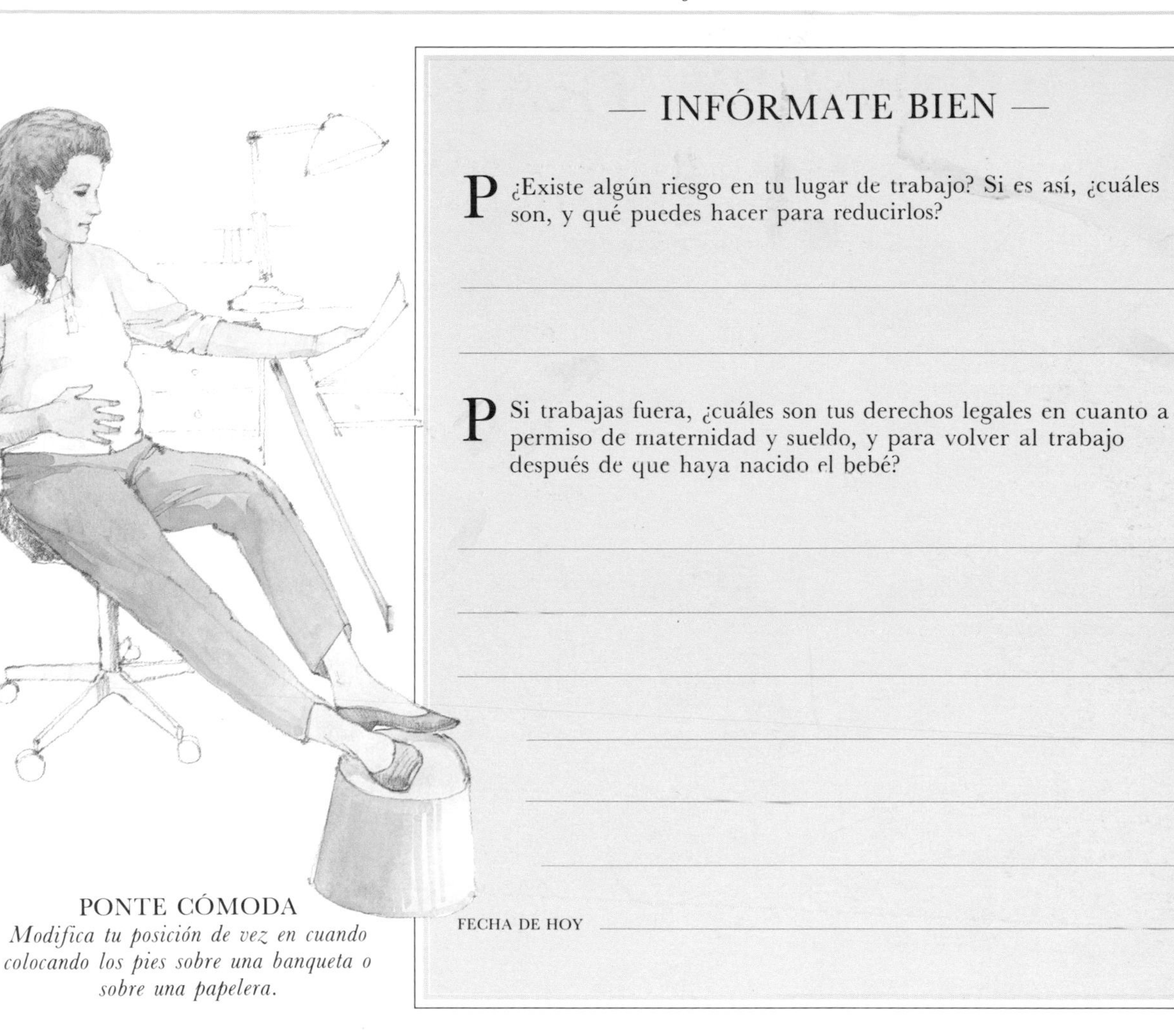

PONTE CÓMODA
Modifica tu posición de vez en cuando colocando los pies sobre una banqueta o sobre una papelera.

— INFÓRMATE BIEN —

P ¿Existe algún riesgo en tu lugar de trabajo? Si es así, ¿cuáles son, y qué puedes hacer para reducirlos?

____

____

P Si trabajas fuera, ¿cuáles son tus derechos legales en cuanto a permiso de maternidad y sueldo, y para volver al trabajo después de que haya nacido el bebé?

____

____

____

____

____

____

FECHA DE HOY ______________________________

— LA VUELTA AL TRABAJO —

Si te encuentras en casa y planeas volver al trabajo, piensa en lo que puedes hacer para mantenerte al día en tu profesión, y sigue en contacto con tus compañeros. En algunos casos podrás negociar un horario de media jornada, horarios flexibles o hacer parte del trabajo en casa cuando el bebé haya nacido. El teléfono, el fax y los ordenadores hacen que hoy día sea posible trabajar desde el hogar en algún tipo de profesiones. Sea cual sea tu decisión, deberás ocuparte de que tu hijo esté bien cuidado.

Durante los primeros meses de vida del niño y quizás más tarde tendrás que trabajar tanto de día como de noche, así que no planees cosas para muy temprano por las mañanas. Busca tiempo para echarte la siesta, o métete en la cama en cuanto llegues a casa y que alguien te lleve la cena. En este período es fundamental que consigas ayuda de otras personas y que planifiques bien tu horario de trabajo.

“Mi jefe aceptó bien que esperara a tomar mi decisión sobre la vuelta al trabajo, una vez que tuviera al bebé y viera cómo me arreglaba con él. Sé de mujeres, en otras empresas, que han tenido que tomar esta decisión mucho antes, y han sido mal vistas si posteriormente han cambiado de opinión.»

«Un grupo de mujeres en mi empresa estamos luchando para conseguir horarios de trabajo más flexibles, guarderías para los niños e iguales oportunidades de promoción.”

Semana 13 *a* 16

AL CABO DE 16 SEMANAS tu metabolismo ya se ha adaptado al embarazo. La fatiga y las náuseas de las primeras semanas seguramente habrán desaparecido. Tu útero tiene el tamaño de una uva grande. Su pared muscular es gruesa y fuerte, y empieza a estar distendida y adelgazada por el exterior. Empieza a pensar lo que deseas para tu bebé. Todas las madres albergan sueños y esperanzas para sus hijos. Quieren que estén sanos, y que vivan en un mundo seguro y feliz. Tómate tiempo para reflexionar. Cierra los ojos e intenta ver al bebé que llevas dentro. Intenta imaginar cómo tu cuerpo está alimentando al bebé.

Tu cuerpo

- Tu corazón late con más fuerza y con más rapidez para poder bombear más cantidad de sangre para que llegue a la placenta.
- Tu vagina presenta más vasos sanguíneos, y se vuelve más oscura y suave como si fuera de terciopelo púrpura.
- El tamaño de la glándula tiroides del cuello se ha multiplicado por dos, por lo que a lo mejor te resultan incómodos los cuellos apretados.
- Tardas más en hacer la digestión. El estómago de una mujer no embarazada se vacía en cicuenta minutos. Cuando estás embarazada tarda ciento treinta minutos.

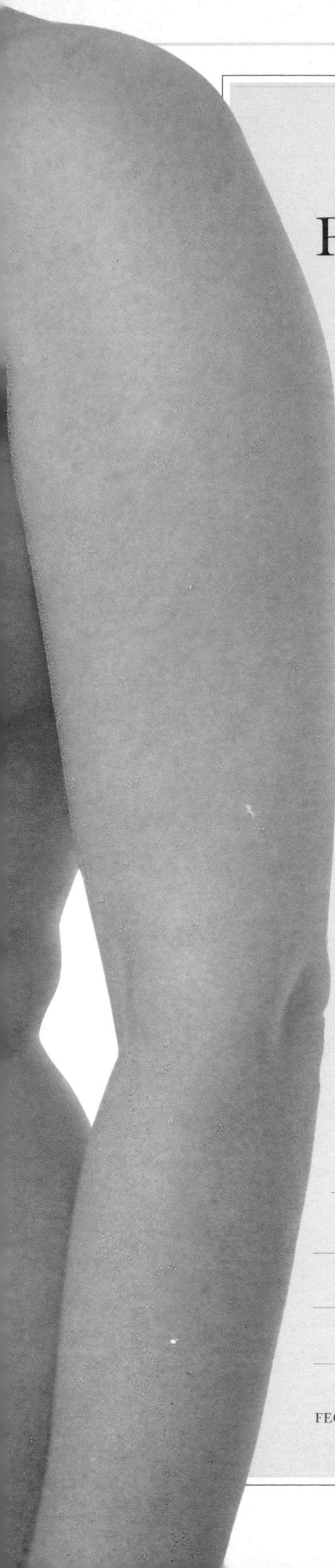

DESEOS PARA TU BEBÉ

P Si pudieras conseguir tres deseos para tu bebé, ¿cuales serían?

FECHA DE HOY

Semana 13 DIA | MES | AÑO

D
L
M
X
J
V
S

Semana 14 DIA | MES | AÑO

D
L
M
X
J
V
S

Semana 15 DIA | MES | AÑO

D
L
M
X
J
V
S

Semana 16 DIA | MES | AÑO

D
L
M
X
J
V
S

CÓMO ESTÁ CRECIENDO TU HIJO

A LAS 16 SEMANAS, los órganos fundamentales del cuerpo del bebé ya están formados. El líquido amniótico, la bolsa de las aguas y la placenta mantienen la vida del bebé en el útero, igual que una cápsula espacial proporciona al astronauta todo lo que necesita.

La bolsa amniótica protege al bebé de golpes, lo mantiene a una temperatura templada constante, le permite ejercitar las extremidades y moverse libremente, y le proporciona líquido para que practique la operación de tragar. Cuando se inicia el parto, la ruptura de la bolsa ayuda a la pelvis a abrirse, ejerciendo presión hidrostática contra ella. El líquido de la bolsa es agua salina, así que durante el tiempo en que el bebé está en su interior es como una criatura marina. El niño cambia de postura de forma brusca, aunque no se note hasta la semana 18 ó 20. Mueve la cabeza, abre la boca y mueve el pecho y el estómago hacia arriba y hacia abajo. Ya puede chupar y tragar, y a veces tiene hipo. Bosteza y se despereza y puede abrir los párpados y fruncir el entrecejo.

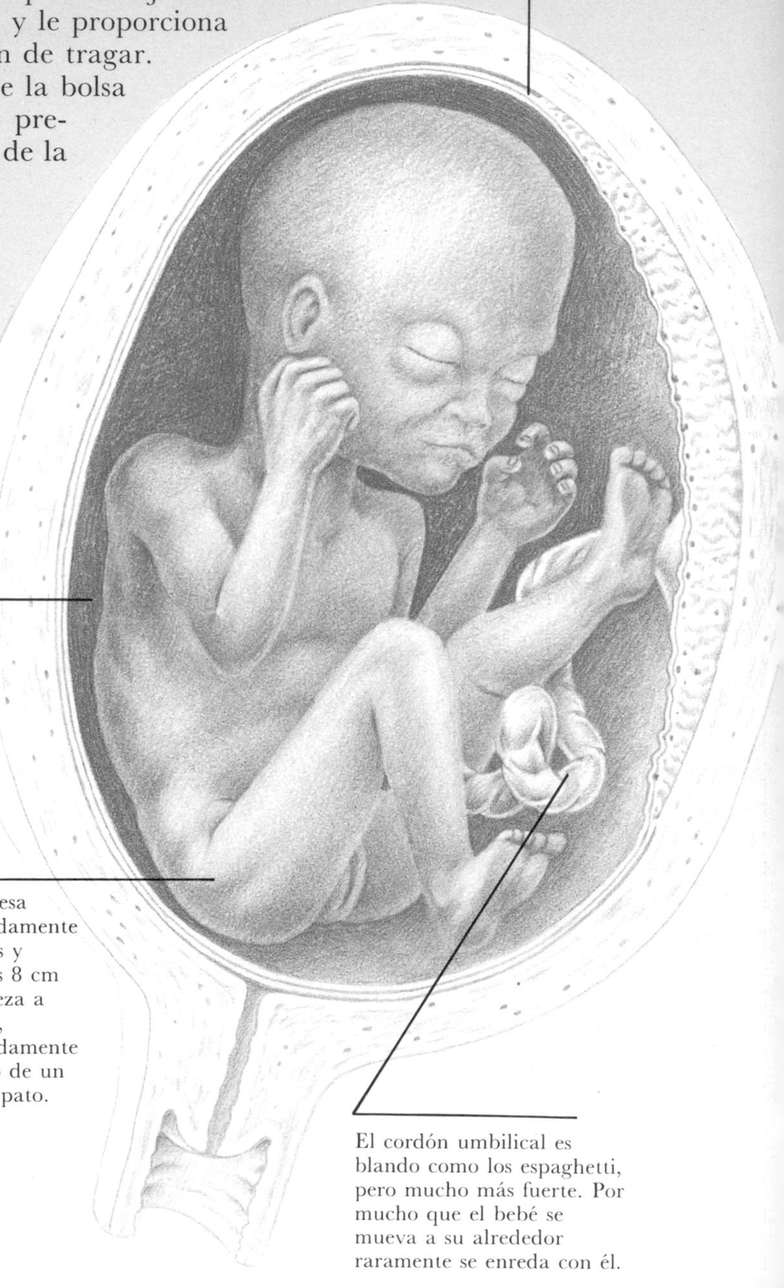

La pared del útero está recubierta de vellosidades coriónicas.

El líquido amniótico siempre está templado y limpio. Se regenera completamente cada seis horas.

El bebé pesa aproximadamente 60 gramos y mide unos 8 cm de la cabeza a las nalgas, aproximadamente el tamaño de un huevo de pato.

El cordón umbilical es blando como los espaghetti, pero mucho más fuerte. Por mucho que el bebé se mueva a su alrededor raramente se enreda con él.

¿Sabías que...?

- El niño nunca pasa demasiado calor o frío, debido en parte a que tú regulas tu propia temperatura sudando cuando hace calor o temblando si hace frío. El líquido amniótico, la bolsa, la pared muscular del útero y tu grasa y piel también ayudan a mantener al bebé templado. Pero si pasas mucho calor, como por ejemplo en una sauna, tu sistema circulatorio se verá afectado y puedes sufrir palpitaciones. Esto no es bueno para ti ni para tu bebé así que evita las temperaturas elevadas.

LA PLACENTA

La sangre aporta oxígeno a los tejidos del bebé a partir del aire que respiras, y nutrientes a partir de los alimentos que comes. Fluye al interior de la placenta a través de una fina membrana. Desde aquí, el oxígeno y los nutrientes pasan al interior del bebé.

La placenta tiene el aspecto de un trozo de hígado crudo, y se forma a partir de la decimosegunda semana de embarazo. Las ramificaciones de los vasos sanguíneos son el árbol de la vida para tu bebé. Al final del embarazo, mide normalmente entre 17,5 y 20 cm, aproximadamente el tamaño de un plato de postre. Pesa aproximadamente un sexto del peso del bebé, y en el centro tiene el grosor del pulgar, pero es más fina en los extremos.

La placenta se forma a partir de la capa más externa de la vesícula fecundada, y está compuesta de pequeñas proyecciones o dígitos llamados vellosidades coriónicas, que se agrupan en lóbulos. Estas vellosidades se insertan en las paredes del útero como las raíces de un árbol. El cordón umbilical está normalmente conectado al centro de la placenta.

La sangre oxigenada llega al bebé por la vena del cordón umbilical, y sale (sin oxígeno) por las arterias hasta la placenta, que filtra los desechos antes de que pasen a tu sangre. La placenta fabrica hormonas y es una barrera frente a las infecciones.

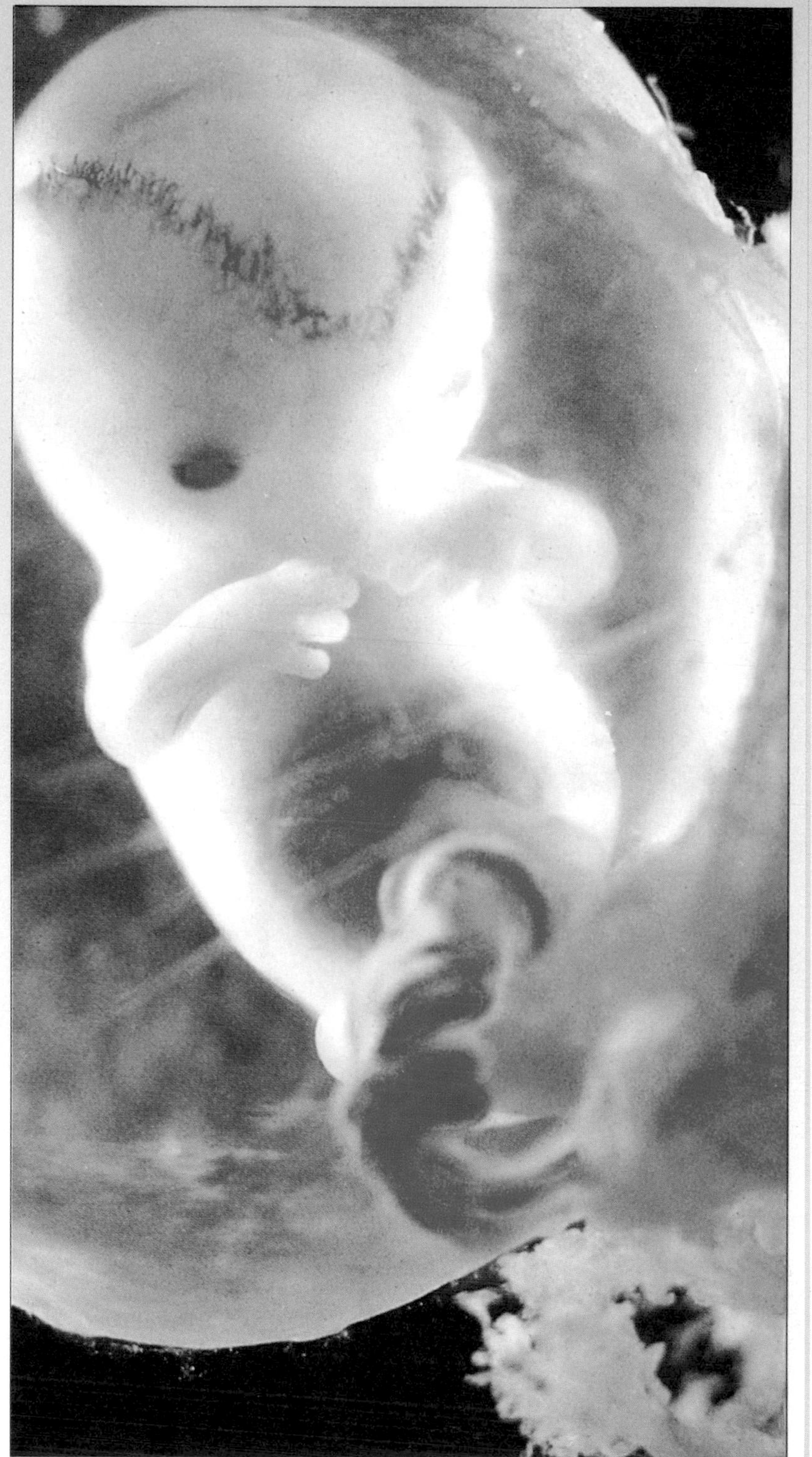

SOPORTE VITAL

La placenta de este feto de 10 semanas se localiza en la esquina de la derecha, cerca de la bolsa amniótica.

MANTENTE EN FORMA

LA PRÁCTICA DE EJERCICIO SUAVE DURANTE EL EMBARAZO te hará sentirte mejor, mejora la circulación y favorece la salud. El ejercicio regular tonifica los músculos y te mantiene ágil. La natación y los paseos en bicicleta son especialmente recomendables. Un paseo de media hora al día, sobre todo si puedes hacerlo en el campo o en un parque, resulta vigorizante. Realiza alguno de los ejercicios descritos en estas páginas diariamente. Ponte tu música favorita y relájate. Tomarte tiempo para ti misma te ayudará a sentirte más relajada y a prepararte mejor para el parto.

— ADAPTACIÓN A LOS CAMBIOS —

Durante el embarazo, la forma de moverte es tan importante como los ejercicios especiales que puedas hacer (*véanse* páginas 56-57). Tu cuerpo es más pesado, la distribución del peso se altera, el centro de gravedad cambia y la articulación de la pelvis realiza más movimientos. Este ejercicio de balanceo pélvico tonifica la espalda y los músculos abdominales, y te ayuda a adaptarte a estos cambios.

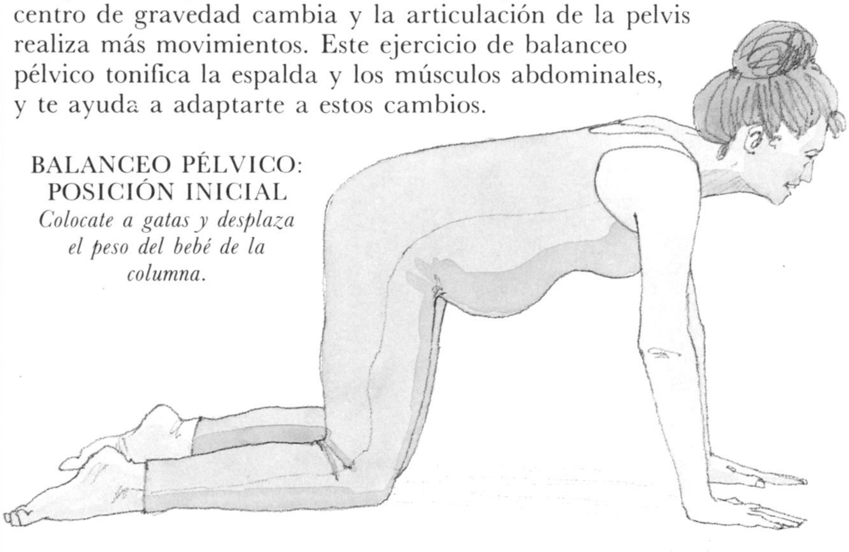

BALANCEO PÉLVICO: POSICIÓN INICIAL
Colocate a gatas y desplaza el peso del bebé de la columna.

Empieza a hacer ejercicio

- Todos los movimientos deben ser suaves y rítmicos.
- Continúa respirando al moverte. No contengas la respiración.
- Haz ejercicios de calentamiento antes de empezar y después relájate.
- Evita los giros bruscos y los movimientos espasmódicos.
- Andar y nadar son ejercicios mejores que el jogging.
- Evita los ejercicios que supongan un estrés para los músculos abdominales y los de la espalda.
- Si sientes dolor interrumpe el ejercicio o reduce el ritmo.

— EJERCICIOS TONIFICANTES —

Puedes hacer este ejercicio poniéndote a gatas tal como se muestra aquí, o tumbada de espaldas con la cabeza y los hombros bien apoyados (*veáse* página 57). Empieza con la espalda recta, rodillas y manos separadas y la cabeza elevada. Deja caer la cabeza y presiona la espalda hacia arriba. A continuación levanta la cabeza y hunde la espalda. Repítelo de ocho a diez veces.

BALANCEO PÉLVICO: POSICIÓN ARQUEADA
Siente el endurecimiento de los músculos abdominales. Nunca hundas la parte inferior de la espalda.

— EJERCICIOS DE ESTIRAMIENTO Y DE ABERTURA —

Para notar el estiramiento de los músculos de la parte interior de los muslos, y percibir cómo se abre tu cuerpo, colócate con las piernas abiertas. Cógete del respaldo de una silla y dobla las rodillas. Desciende todo lo que puedas, manteniendo la espalda recta, y a continuación elévate despacio y con suavidad. Si quieres aumentar el estiramiento de la parte interior de los muslos, haz este ejercicio de puntillas, con los tobillos juntos y los talones elevados del suelo.

Otro ejercicio de extensión y abertura que se tiene que realizar con una pareja es el que está ilustrado en las páginas 44 y 45. Colocaos uno en frente del otro con los pies bien separados y los talones planos. Cogeos por las muñecas para contrarrestar el peso cuando os agachéis. Flexionar las rodillas manteniendo la espalda recta. Manteneos en esta posición unos segundos y levantaos lentamente. Repite el ejercicio hasta que notes la tensión en la parte interior de los músculos.

«Las mujeres de la clase eran como como mínimo diez años más jóvenes que yo y muy ágiles. No podía estar en cuclillas más de unos segundos y pensaba: no podré dar a luz a este bebé. Ahora hago ejercicios suaves poniéndome de rodillas, o agachada, y también hago ejercicios en el agua. Me siento mucho más segura y confiada con mi cuerpo.»

— CÓMO REDUCIR LAS TENSIONES SOBRE LA ESPALDA —

Colócate de rodillas con las piernas bien separadas, e inclínate hacia delante apoyándote en los codos. En esta posición puedes leer o escuchar música. Tanto en esta postura como en la posición a gatas, cuida que la parte inferior de la espalda no se hunda pues esto podría causar dolores en la espalda. Si la columna vertebral está recta, el bebé es soportado por los músculos abdominales, en lugar de tirar de los de tu espalda.

DISTRIBUCIÓN DEL PESO
En esta posición, tu cuerpo se halla bien apoyado, con el peso del bebé suspendido entre las piernas.

— EJERCICIOS EN EL AGUA —

Para tonificar los músculos abdominales, flota en una piscina con la espalda apoyada contra la pared, y los brazos extendidos sobre el borde. Aguanta las piernas sin extender hasta colocarlas en ángulo recto con el cuerpo y bájalas de nuevo. Es bueno andar en la piscina.

«Me divertí mucho haciendo ejercicios durante el embarazo. A medida que iba engordando, podía balancear la pelvis muy bien y resultaba muy relajante hacer movimientos amplios y lentos.»

«El único modo de aliviar el dolor de espalda era encerar el suelo a gatas.»

«Normalmente no hago ejercicio, pero durante el embarazo sirve para observar mejor los cambios que experimenta tu cuerpo.»

CÓMO MEJORAR LA CIRCULACIÓN

Siéntate con las piernas extendidas, tobillos y rodillas relajados. Coloca un talón sobre el suelo y levanta los dedos y apunta hacia ti. Haz círculos con el dedo gordo a un lado y a otro. Tensa y relaja los músculos de las pantorrillas. Haz esto seis veces y alternativamente.

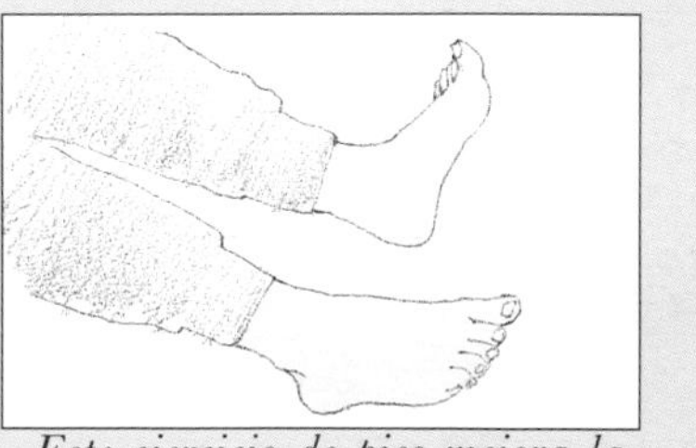

Este ejercicio de pies mejora la circulación, y es muy útil si tienes los tobillos hinchados.

PENSANDO EN LAS CLASES

LAS CLASES PARA EL PARTO, que se imparten en los hospitales, los servicios de salud comunitaria, y otras organizaciones independientes, suelen iniciarse a los seis o siete meses de embarazo y tienen lugar todas las semanas, aunque en algunas zonas se inician antes. Cada vez son más populares las clases para parejas, pero también hay grupos sólo para mujeres, y otras son mixtas. Ante de decidirte por un curso, investiga todas las posibilidades que tienes.

Lista de sugerencias

Las clases para el parto deben incluir:

- Información sobre la toma de decisiones acerca de los cuidados y lugar para el parto.
- Ejercicios de relajación.
- Ejercicios de respiración para el parto.
- Instrucciones sobre cómo te puede ayudar tu pareja.
- Práctica de distintas posturas y movimientos para el parto.
- Discusión sobre los sentimientos antes y después del parto.
- Los procesos físicos y emocionales del parto.
- Discusión sobre la lactancia materna y sobre el comportamiento de los recién nacidos.

— TOMA DE DECISIÓN —

Averigua cuándo tendrán lugar las clases (por la mañana o por la tarde), quién es el profesor (normalmente una comadrona, un fisioterapeuta, o un profesor de yoga), si está permitido asistir a las parejas, y en qué consisten las clases. Compara lo que ofrecen con las sugerencias de la lista que ofrecemos a la izquierda antes de decidirte.

— COMPARTE TUS EXPERIENCIAS —

Entrar en contacto con otras mujeres y parejas, y compartir vuestros sentimientos es muy importante. En las clases podrás hacer buenos amigos y hacer planes para salir juntos cuando hayan nacido los niños. La nueva madre se enfrenta a muchos retos que pueden resultarle excesivos si se tiene que enfrentar a ellos sola.

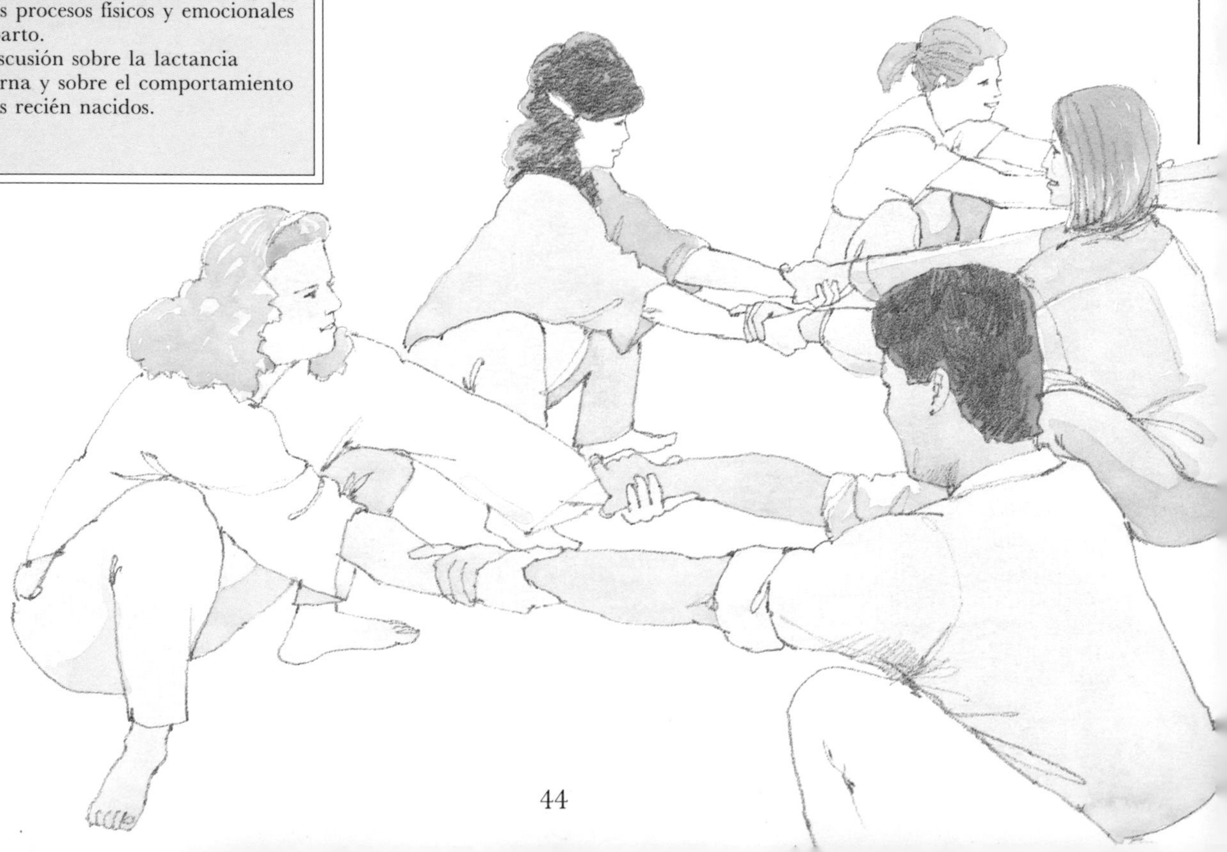

«Estas clases son buenas porque quiero tener un parto natural y estoy aprendiendo a abrir el cuerpo. De todas formas el instructor también explica lo que pasa cuando las cosas se complican, cómo debes actuar y cómo deben actuar los que te cuidan».

«Estoy contenta porque Michael viene conmigo. Al principio decía que no quería tirarse al suelo y gritar y sollozar con un montón de mujeres embarazadas. Pero en las clases tratamos todo tipo de temas, como la alimentación, sobre la que él no sabe nada, y la sexualidad en el embarazo y después del parto. Está muy interesado y ha perdido completamente el sentido del ridículo y se ha hecho amigo de otros padres.»

«Las clases son fenomenales. Ana y yo hablamos sobre lo que se ha tratado mientras volvemos a casa en el coche. No son charlas serias seguidas de coloquios. La clase se hace dentro del grupo y todas discutimos los temas que queremos tratar. La profesora sólo nos ayuda y nos dirige, está completamente abierta a las ideas de los demás.»

EXPLORANDO EL MOVIMIENTO

Durante las clases de preparación para el parto se practican movimientos para tonificar los músculos y ayudarte a superar las molestias del embarazo, y a aprender a abrir la pelvis para el parto. Trabajando junto a otras mujeres, vas ganando confianza para hacer frente al esfuerzo del parto.

SELECCIÓN DE LAS CLASES

P ¿Qué tipo de clases has decidido tomar?

____

____

P ¿Por qué elegiste estas clases en particular?

____

____

P ¿Cuándo empiezan las clases?

____

P ¿Quién es el profesor?

____

P ¿Está permitida la asistencia de tu pareja a alguna o a todas las clases?

____

____

P ¿Qué libros os ha recomendado el profesor?

____

____

____

____

____

____

FECHA DE HOY ______________________________

LAS ECOGRAFÍAS

LAS ECOGRAFÍAS muestran el tamaño y la forma de un objeto sólido mediante ondas sonoras de alta frecuencia que son inaudibles al oído adulto. Las ondas sonoras chocan contra el objeto produciendo ecos que se transforman en imágenes en un pantalla de televisión. Las ecografías se utilizan de forma sistemática en muchos países en la decimosexta semana de embarazo para valorar el tamaño del bebé y a veces también más tarde durante el embarazo, para saber como se halla situado el bebé en el útero. A las dieciséis semanas el bebé cabe entero en la pantalla. Más tarde sólo cabe una parte del cuerpo. Mediante ecografías se puede diagnósticar la presencia de gemelos y de ciertas anomalías genéticas, así como conocer el sexo del bebé y el lugar donde se encuentra la placenta. También permite determinar si el corazón fetal está latiendo cuando la madre no lo siente.

VIENDO AL BEBÉ. *Ver al bebé moviéndose en tu interior puede ser una experiencia muy emocionante.*

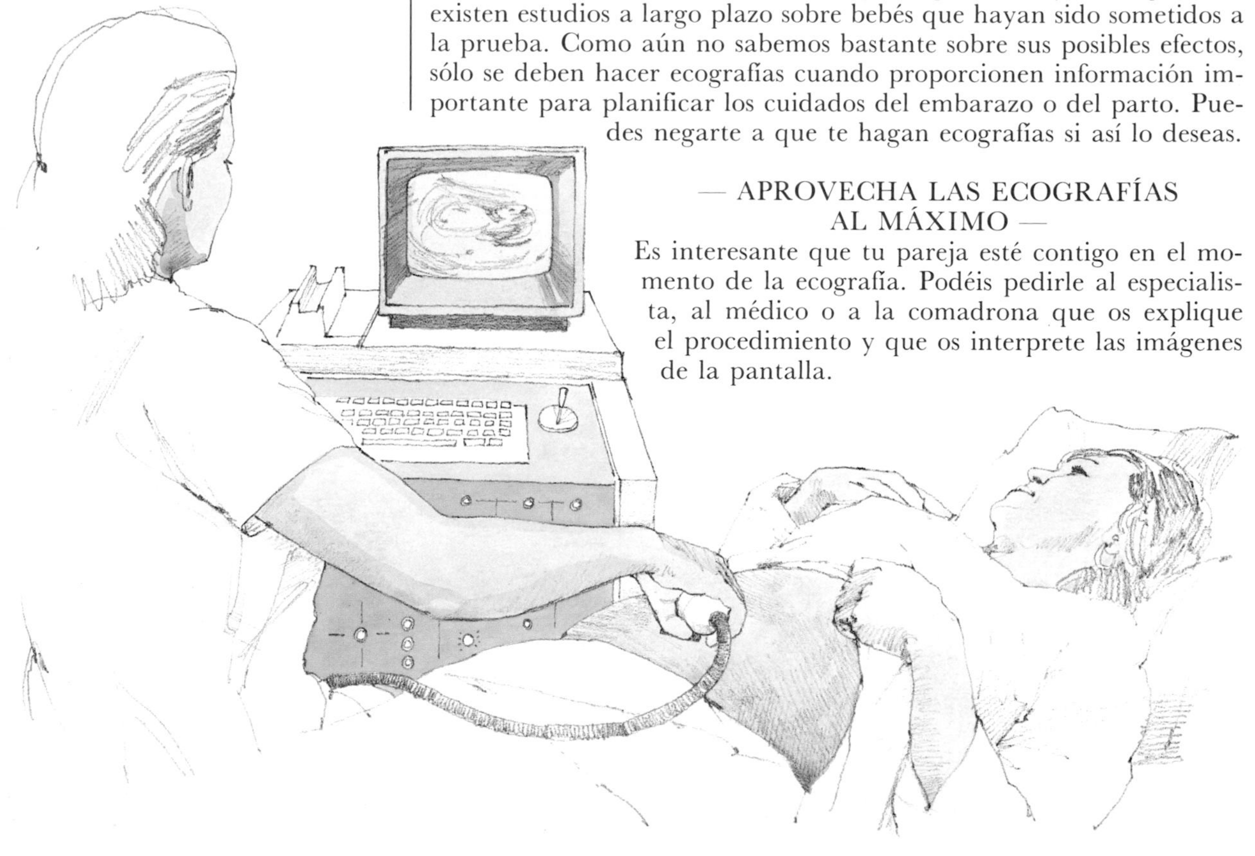

— CUESTIONES DE SEGURIDAD —

Antes de que se inventara la ecografía, se empleaban los rayos X para ver lo que estaba sucediendo en el útero. Ahora se sabe que es peligroso y que puede provocar cáncer en el niño. Las ecografías parecen un método mucho más seguro que los rayos X, pero no existen estudios a largo plazo sobre bebés que hayan sido sometidos a la prueba. Como aún no sabemos bastante sobre sus posibles efectos, sólo se deben hacer ecografías cuando proporcionen información importante para planificar los cuidados del embarazo o del parto. Puedes negarte a que te hagan ecografías si así lo deseas.

— APROVECHA LAS ECOGRAFÍAS AL MÁXIMO —

Es interesante que tu pareja esté contigo en el momento de la ecografía. Podéis pedirle al especialista, al médico o a la comadrona que os explique el procedimiento y que os interprete las imágenes de la pantalla.

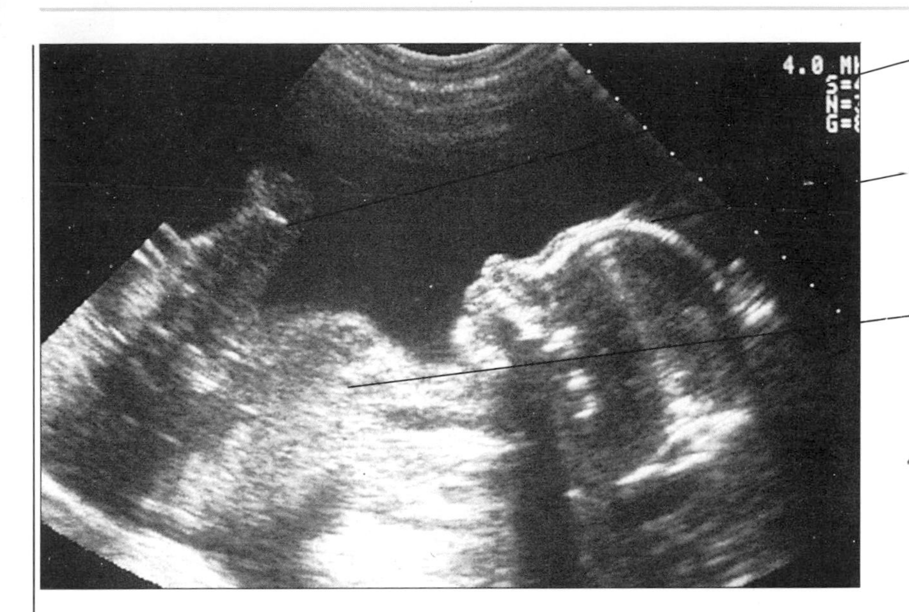

Se pueden ver las extremidades del bebé con sus manitas y sus pies.

La cabeza del bebé es ovalada. La frente es ancha y plana y la naríz chata.

El pecho y la barriga son redondeados.

COMPRENSIÓN DE LAS IMÁGENES

La imagen de la pantalla normalmente aparece borrosa como un dibujo difuminado. Pide al médico que te muestre las distintas partes del bebé.

«Todos estaban en silencio y no me dejaban ver la pantalla. Pregunté si todo iba bien y el radiólogo me dijo que no podía decir nada, que debía preguntarle a mi médico. Pero no tenía cita con el médico hasta dentro de una semana. Fue horrible.»

«Era increíble ver a esa cosita moviéndose, inclinando la cabeza y chupándose el dedo gordo. En un momento dado parecía que estuviera saludando con la mano. Tomaron una foto que conservo debajo de la almohada.»

«Decidí no hacerme ecografías. Estaba segura de mis fechas de embarazo por lo que no aportarían ninguna información especial. Sé que los bebés normalmente se mueven inquietos y que el ritmo cardíaco aumenta cuando se hacen ecografías, por lo que quizás no les gusten. No veo la necesidad, por lo que dije que no.»

PREPARACIÓN PARA LA ECOGRAFÍA

P ¿Qué preguntas quieres hacerle al médico *antes* de que te hagan la ecografía?

____

____

____

____

____

P ¿Qué información deseas obtener del médico o de la comadrona sobre la ecografía que te van a hacer?

____

____

____

____

FECHA DE HOY ______________________________

¿Y SI SON GEMELOS?

AHORA probablemente ya habrás superado el shock que te produjo la noticia de que ibas a tener gemelos. Aunque tener dos bebés puede ser maravilloso, un embarazo múltiple es más duro de llevar y más fatigoso para el cuerpo de la mujer. El esfuerzo que deben realizar los músculos, huesos y articulaciones es normalmente mayor y puedes necesitar más descanso de lo normal.

— PENSANDO EN EL FUTURO —

Si vas a tener más de un bebé, es de esperar que tu embarazo y parto presenten alguna dificultad. Por esto, automáticamente consideran que eres una embarazada «de riesgo», y muchas veces dan por sentado que las mujeres apoyarán que se les provoque el parto, y que se administre anestesia epidural o se realice una cesárea.

Por tanto te puede resultar difícil conseguir que tu parto sea como has planeado. A veces hay buenas razones para aceptar estas intervenciones, por ejemplo cuando el segundo bebé se halla en una posición difícil, pero incluso en estos casos tienes derecho a que se te informe bien y se respeten tus decisiones.

Los gemelos suelen nacer dos o tres semanas antes y pueden ser más pequeños que los bebés únicos. Después del parto necesitarás que te echen una mano.

REVISA TUS DECISIONES SOBRE EL PARTO

P Ahora que sabes que estás esperando más de un bebé, ¿deseas modificar algunas de las decisiones que tomaste para el parto y anotaste en las páginas 16-17?

____

____

____

____

____

FECHA DE HOY ______________________________

COMPARTIR RESPONSABILIDADES

Tu pareja puede ayudarte a que no te sientas atrapada en un círculo de trabajo interminable y así tendréis tiempo para disfrutar juntos de los bebés.

“Ahora que he superado el shock, empiezo a disfrutar de la idea. Me siento especial. Me estoy cuidando más de lo normal porque quiero que comiencen su vida de la mejor forma posible y que yo esté en las mejores condiciones.”

CÓMO SE FORMAN LOS GEMELOS

Los gemelos pueden concebirse de dos formas. En una de ellas, sólo es fecundado un óvulo que se divide en dos vesículas celulares completas. En este caso, se desarrollan gemelos idénticos. En la segunda forma, se producen dos óvulos maduros al mismo tiempo, procedentes de uno o de ambos ovarios. (Si has tomado fertilizantes, incluso puede haber más.) En este caso, los espermatozoides pueden unirse a más de un óvulo. Los gemelos que se forman de este modo se denominan mellizos y no se parecen entre sí más que el resto de sus hermanos.

> *"En el hospital tienden a tratarme como si el embarazo fuera algo anormal, pero todo va bien y me encuentro estupendamente."*

GEMELOS IDÉNTICOS

Los gemelos idénticos son monocigóticos o univitelinos. Son menos frecuentes que los mellizos. Sólo un tercio de todos los gemelos son idénticos, la mitad son parejas de chicas, y la otra mitad parejas de chicos. La mayoría se desarrolla en bolsas de líquido amniótico separadas. En algunos casos, los gemelos idénticos se forman aproximadamente a los 14 días; comparten burbuja y casi siempre placenta. Al educarles hay que fomentar su individualidad.

Gemelos idénticos (monocigóticos)

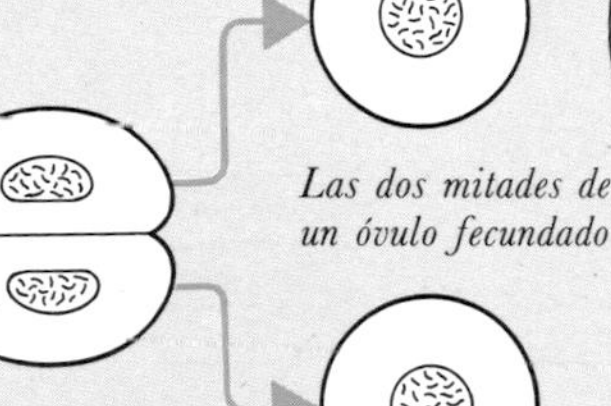

Un óvulo

Un espermatozoide

Un óvulo fecundado dividido en dos

Las dos mitades de un óvulo fecundado

MELLIZOS

Los mellizos son dicigóticos o bivitelinos. La mitad son parejas chico-chica, un cuarto son chicos, y el otro cuarto son chicas. Crecen en bolsas de líquido amniótico separadas y tienen distintas placentas, pero a veces están tan cerca uno del otro que las placentas se funden y parece que sólo haya una. La mayoría de los mellizos, se desarrollan a partir de óvulos fecundados al mismo tiempo, pero a veces el segundo óvulo es fecundado varios días más tarde. En estos casos, ambos bebés suelen nacer con pocos minutos de diferencia.

Mellizos (dicigóticos)

Dos óvulos

Dos espermatozoides

Dos óvulos fecundados independientemente

Embarazos que requieren cuidados especiales

Puedes tener un embarazo difícil debido a una enfermedad ya existente, diabetes, cardiopatía, asma si es grave, o epilepsia, o debido a una enfermedad que ha aparecido durante este período. Aun en el caso de que tu enfermedad no conlleve complicaciones, es posible que encuentres que te tratan como una madre de alto riesgo, y quizás te recomienden que tengas al niño en un gran hospital. Puedes exigir que se te informe sobre todas las alternativas y debes participar en todas las decisiones sobre tus cuidados y los de tu bebé. Si tienes una enfermedad que necesita cuidados especiales, experimentarás la misma alegría y excitación de estar embarazada, pero probablemente tendrás dudas a cerca de tu capacidad para llevarlo adelante. El apoyo de tus amigos y familiares es vital para ti en este período.

— MUJERES CON DIABETES —

Si eres diabética, tendrás que modificar tu dieta durante el embarazo. Esto implica que tus necesidades de insulina variarán también. Tú sabes controlar tu diabetes mejor que nadie, por lo que tendrás que seguir comprobando tu nivel de glucosa en casa.

Durante el embarazo, te supervisará un especialista en diabetes así como un tocólogo. Normalmente se realizarán dos revisiones al mes hasta las 32 semanas y a partir de ahí una revisión semanal.

Los hijos de madres diabéticas suelen ser más grandes, por lo que seguramente te harán ecografías para controlar su crecimiento. Esto se hace para comprobar que el niño no se hace demasiado grande para un parto vaginal normal. El parto puede ser provocado cuando el bebé tiene un tamaño y madurez adecuados para el nacimiento, incluso antes de que esté a término.

La mayoría de los hijos de madres diabéticas no necesitan ser separados de sus madres tras el parto para proporcionarles cuidados especiales, aunque algunos pueden necesitar respiración asistida.

— MUJERES CON MINUSVALÍAS —

El embarazo suele constituir un período maravilloso para ti porque te das cuenta que tu cuerpo funciona como el de las demás mujeres. Cualquier minusvalía hace que el embarazo y el tener hijos sean más trabajosos para ti que para otras mujeres. Quizá necesites equipos especiales, o pasarte las 24 horas del día en casa (como muchas primerizas). Habla con mujeres de tus características y averigua cómo se las arreglaron.

CONTROL CUIDADOSO
Controlando tu nivel de glucosa podrás ajustar tu dieta si es necesario.

“Soy una mujer embarazada que padece asma, no una asmática que está embarazada».

«Cuando dijimos que estabamos esperando un bebé, en la expresión de sus caras se podía leer "¿cómo es posible?" No saben que las personas minusválidas podemos llevar un vida sexual normal como las demás personas.”

Tu mayor problema pueden ser las actitudes y los miedos de las demás personas. A las mujeres minusválidas no les basta con que les admiren y les repitan lo valientes y maravillosas que son. Necesitan ayuda real para poder funcionar como miembros normales de la sociedad, teniendo en cuenta su calidad de seres humanos más que sus minusvalías.

— MINUSVALÍAS VISUALES Y AUDITIVAS —

Si eres ciega o sorda, ponte en contacto con alguna organización que ofrezca clases especiales para ti o clases en las que el profesor sea lo bastante flexible para adaptar sus métodos de enseñanza a tus necesidades.

Como los problemas auditivos pueden pasar desapercibidos, la gente puede no darse cuenta de ellos, y no comunicarse contigo adecuadamente. Por tanto es conveniente que redactes por escrito un plan de tu embarazo, para mostrar al médico que conoces las distintas alternativas y para asegurarte de que saben lo que deseas.

«La comadrona me recomendó que no tomará petidina, porque te atonta. Y es algo que yo debo evitar por que tengo que leer bien los labios».

«Después de terminar de mamar, mi hijo solía dormirse en mis brazos. Me recordaba la sensación que tenía cuando estaba dentro de mi cuerpo. Me hacía sentirme tan bien..., y me sucedía lo mismo cuando lo tenía en brazos.»

«Necesito hacer ciertos ejercicios que pueda realizar en la silla de ruedas, pero nadie me ha sugerido que los haga.»

¿QUE SUCEDE SI ERES RH NEGATIVA?

Una madre Rh negativa puede tener un hijo Rh positivo, a menos que esté segura de que el padre sea negativo. Si sangra durante el embarazo o el parto, parte de la sangre positiva puede pasar a la madre, cuyo sistema inmunitario fabricará anticuerpos.

Esto «engañaría» al organismo, que se comportaría como si hubiera fabricado sus propios anticuerpos, y así no trata al próximo bebé como un invasor. En este caso, la madre debió recibir la anti-D tras el primer parto, y sino, en los próximos embarazos, necesitará asistencia especial.

Este poco frecuente en el primer embarazo. Por tanto a las madres con Rh negativo siempre se les pone una inyección de inmunoglobina anti-D, (que es asímismo una anticuerpo), después del nacimiento de su primer hijo, y a veces también en el primer embarazo. (También se pone esta inyección tras los abortos.)

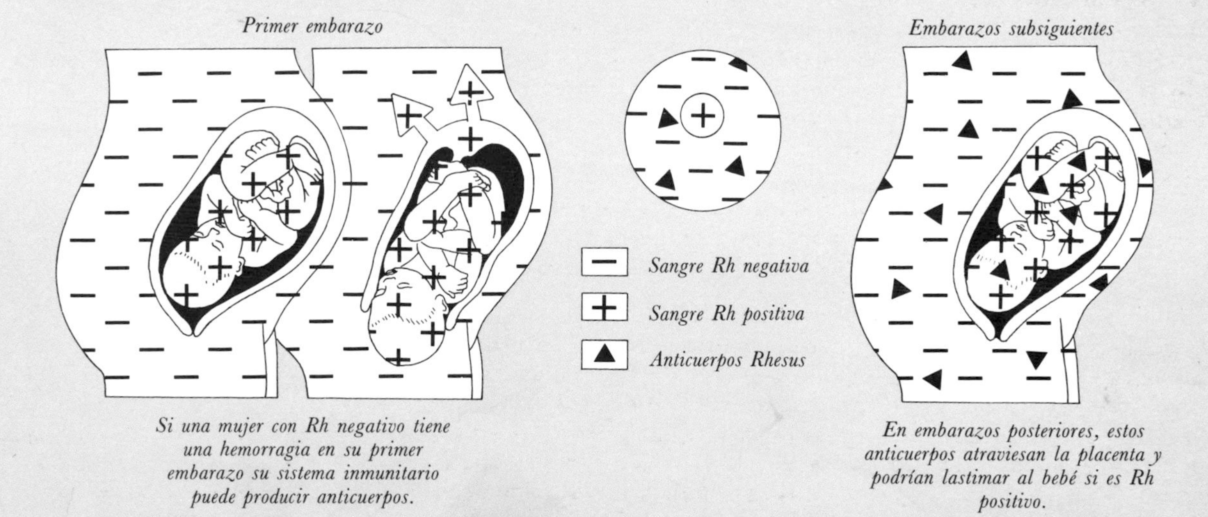

Si una mujer con Rh negativo tiene una hemorragia en su primer embarazo su sistema inmunitario puede producir anticuerpos.

En embarazos posteriores, estos anticuerpos atraviesan la placenta y podrían lastimar al bebé si es Rh positivo.

Semana 17 *a* 20

AL CABO DE 20 SEMANAS, se tiene la sensación de que el embarazo ya se ha estabilizado. El riesgo de aborto es mucho menor, y empiezas a estar adaptada físicamente. Es el momento de empezar a hacer ejercicios de relajación y de control de tu cuerpo para prepararte para el parto. Quizás tengas la suerte de encontrar clases para esta fase tan temprana, pero la mayoría de las mujeres tienen que organizar los ejercicios por sí mismas.

Tu cuerpo

- Las venas son más visibles por debajo de la piel, porque tu corazón bombea ahora un veinte por ciento de sangre más a través de ellas.
- Presionando con los dedos, podrás notar la parte superior del útero, aproximadamente dos centímetros por debajo del ombligo.
- El útero ha perdido la forma de pera y ahora tiene la de un huevo.
- Has ganado unos cuatro kilos, que corresponden: 300 gramos al bebé, 170 gramos a la placenta y 350 gramos al líquido amniótico.
- Tus pechos han aumentado de tamaño y los pezones y areolas pueden estar más oscuros.

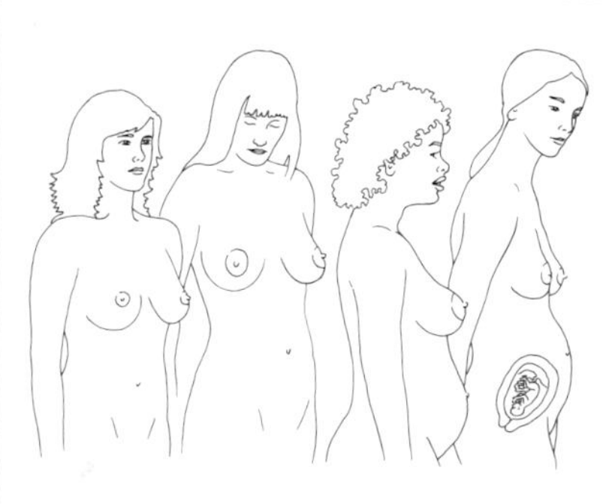

TU CUERPO ES ÚNICO. *Incluso en la misma fase del embarazo, cada mujer tiene una forma y tamaño distinto dependiendo de su altura y complexión.*

«No sabía en qué momento del embarazo comenzaban a cambiar las mamas. Empecé a notar que tenía los pechos muy duros antes de saber que estaba embarazada. Más tarde los sujetadores se me quedaron pequeños y he tenido que comprar varias tallas más grandes.»

«Ya noto que estoy embarazada. Mi cintura es un poco más ancha, y tengo bultitos en los pezones, pero eso es todo. Al principio perdí peso porque tenía mareos, pero ahora ya lo estoy recuperando.»

«Ya tengo un poco de tripa y me parece que es el bebé. Siempre he tenido los pechos pequeños, no era una parte de mi cuerpo que me gustara mucho. Ahora han aumentado de tamaño y me encuentro muy satisfecha con mi tipo.»

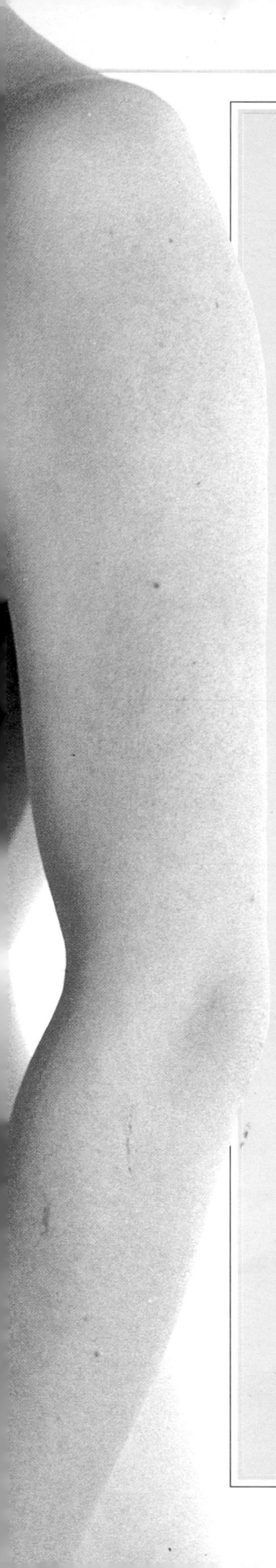

CAMBIOS CORPORALES

P ¿Han aumentado tus pechos de tamaño o de peso?

P ¿Tienes los pechos especialmente duros o sensibles? ¿Notas en ellos una sensación de cosquilleo?

P ¿Tienes las areolas más oscuras?

P Aparte de los cambios en los pechos, ¿qué otros cambios has notado?

P ¿Cuánto mide tu cintura ahora?

P ¿Cuánto miden tus caderas y tus nalgas?

P ¿Has aumentado de peso? Si es así, ¿cuánto?

FECHA DE HOY ______

Semana 17 DIA / MES / AÑO

D
L
M
X
J
V
S

Semana 18 DIA / MES / AÑO

D
L
M
X
J
V
S

Semana 19 DIA / MES / AÑO

D
L
M
X
J
V
S

Semana 20 DIA / MES / AÑO

D
L
M
X
J
V
S

CÓMO ESTÁ CRECIENDO EL BEBÉ

A partir de las 20 semanas, empezarás a notar los movimientos del bebé. Al principio son tan suaves como el roce de un ala de mariposa. Más tarde empezarás a notar patadas, golpes, y choques insistentes cuando el bebé se gira, cambia de posición, salta y se mueve en tu interior. A menudo los movimientos son especialmente fuertes por las tardes.

El niño se puede mover libremente porque está flotando en agua salina, lo que le confiere una consistencia menos pesada y porque las paredes musculares del útero son elásticas y el bebé rebota en ellas como un corcho en un recipiente de agua. Empujando contra los músculos con los pies y la cabeza, ejercita y tonifica los músculos que se están formando y comienza a orientarse en el espacio. A medida que va madurando, el bebé disfruta con esta sensación de movimiento y libertad.

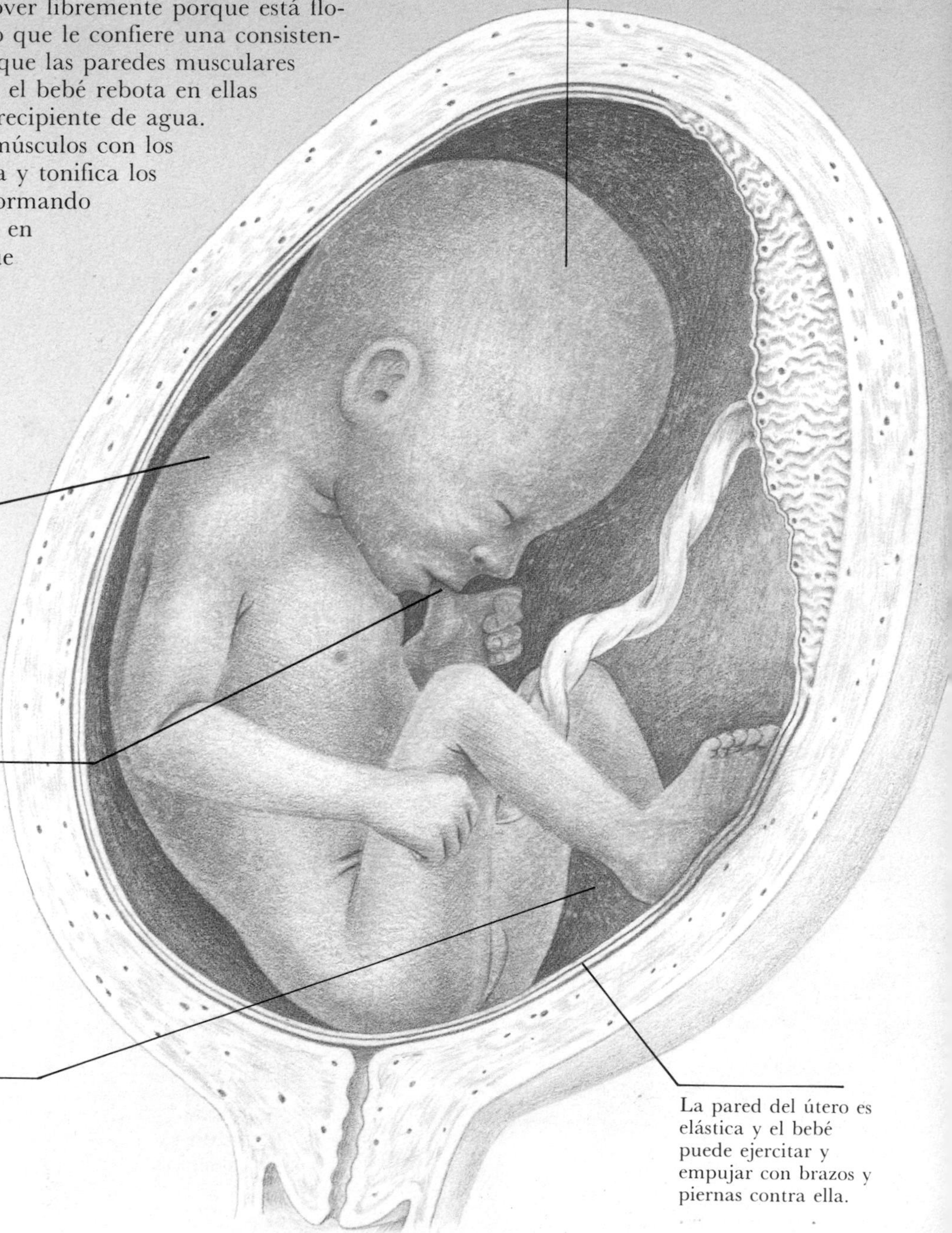

La cabeza es grande en proporción al resto del cuerpo. Empieza a aparecer un pelo muy fino.

El bebé mide ahora 14 cm desde la cabeza a las nalgas. Pesa 200 gramos, aproximadamente lo mismo que una naranja grande.

El bebé se chupa el dedo pulgar, practicando movimientos que necesitará para alimentarse más tarde.

El bebé aún tiene mucho sitio para moverse libremente en el útero.

La pared del útero es elástica y el bebé puede ejercitar y empujar con brazos y piernas contra ella.

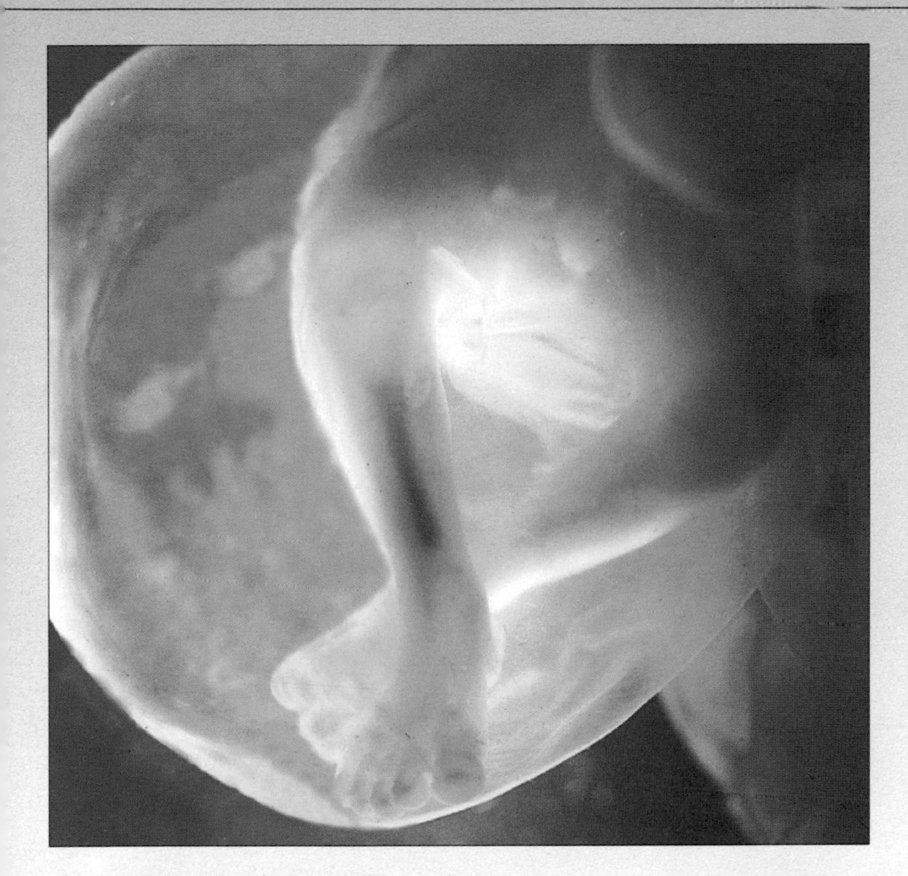

CADA VEZ SE NOTA MÁS

Ahora empiezas a notar las primeras patadas, y la imagen del bebé se torna más real en tu mente.

«Al principio no reconocía lo que era. Era como algo que se desplazaba en mi interior. Entonces me di cuenta de que era el bebé. Ahora estoy esperando notarlo otra vez, es tan excitante.»

«Noté un golpe justo en medio del concierto. La sección de tambores iba en aumento y de repente el bebé tuvo un sobresalto. Estoy segura de que oyó la música. Fue una sensación increíble.»

¿Sabías que...?

- Algunos bebés son mucho más activos que otros. Esto no tiene nada que ver con que sea un niño o una niña.
- Notarás más o menos nueve de cada diez movimientos, pero esto puede variar. Algunas mujeres sólo notan seis de cada diez movimientos.
- Un bebé puede pasar hasta el noventa por ciento del tiempo moviéndose, aunque lo normal es que sea un veinte por ciento.
- Los movimientos respiratorios aumentan del 0,5 % a las dos semanas, hasta el 6 % a las diecinueve semanas. A partir de ahí, a medida que el niño va madurando, la respiración se torna más regular, aunque aún no puede respirar en el aire. Es como un ensayo para cuando haya nacido.

— CUÁNDO SE MUEVE EL BEBÉ —

Cada bebé tiende a tener su ritmo característico de actividad y se mueve más enérgicamente en un momento específico del día. Si has estado embarazada antes, te habrás dado cuenta de que esta vez el bebé se mueve a horas distintas del anterior. No notarás todos los movimientos que hace el bebé. La succión del pulgar, los movimientos de manos y los movimientos respiratorios son demasiado leves para que los notes.

El bebé puede permanecer inactivo varias horas seguidas, cuando está probablemente dormido. Si tomas sedantes, los movimientos fetales se reducen aun más porque el bebé también está sedado. Si bebes mucho alcohol, el bebé ejercita los músculos respiratorios menos a menudo porque el alcohol deprime el sistema nervioso, que controla la respiración. Si fumas, la falta de oxígeno hace que el bebé haga también menos movimientos respiratorios. Tanto el alcohol como la nicotina parecen interferir con los patrones de sueño del bebé, porque reducen el aporte de oxígeno de la corriente sanguínea. Cuando los niños prematuros han sufrido falta de oxígeno en el útero, tienden a dormir mal.

Cuando te hacen una ecografía (*véanse* páginas 46-47), el ruido que no puedes oír (porque tiene una frecuencia superior a la que resulta audible para ti) despertará a los bebés sanos, estimulando su actividad, elevando también la frecuencia de su pulso.

Moverse bien

Muchas veces el embarazo es el primer momento en el que la mujer se da cuenta de que su salud merece cierta atención. Al ir ganando peso, puedes sentir dolor y molestias, que podrás evitar aprendiendo una buena mecánica corporal. Cuando estás embarazada, debes aprender a usar tu cuerpo correctamente, al estar de pie, al andar, al sentarte y al elevar objetos para no forzar los músculos.

LAVARSE

De pie delante del lavabo, debes poder colocar las palmas de las manos planas en el fondo de la pila sin estirarte. Si no puedes, pon una plataforma para elevarte.

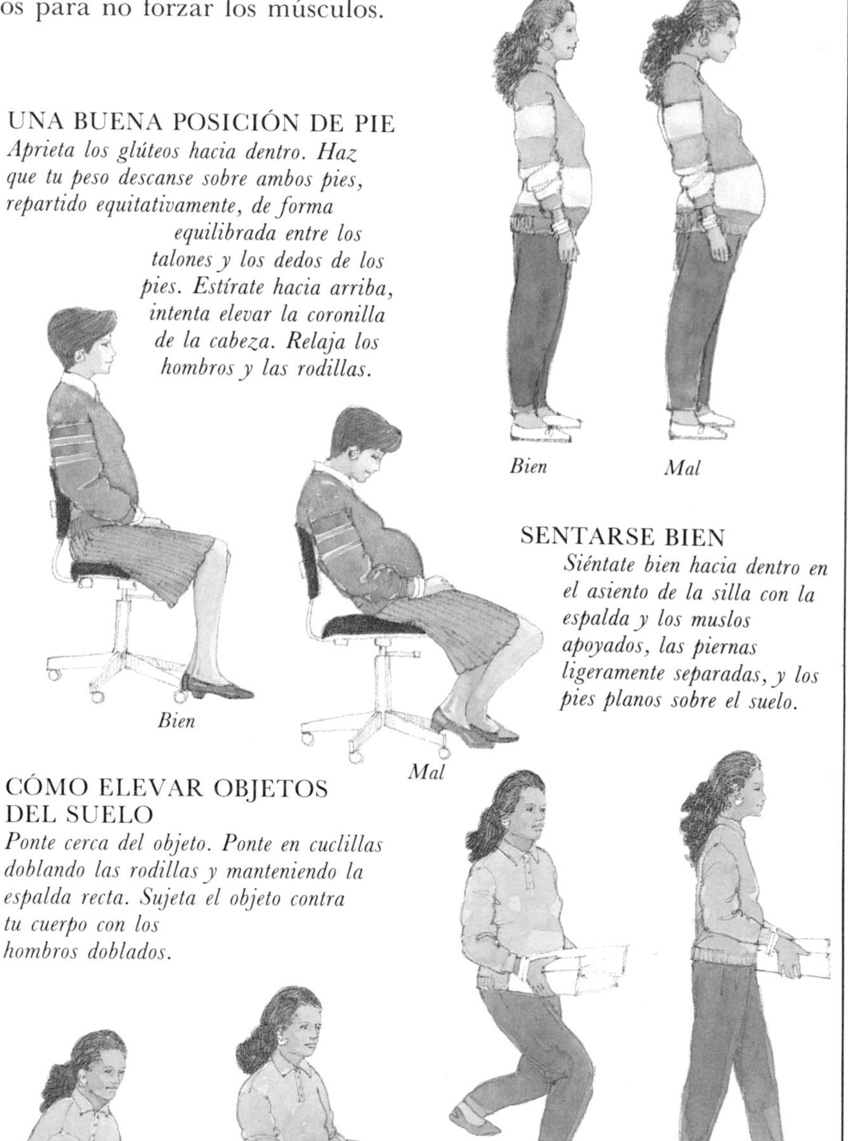

UNA BUENA POSICIÓN DE PIE

Aprieta los glúteos hacia dentro. Haz que tu peso descanse sobre ambos pies, repartido equitativamente, de forma equilibrada entre los talones y los dedos de los pies. Estírate hacia arriba, intenta elevar la coronilla de la cabeza. Relaja los hombros y las rodillas.

SENTARSE BIEN

Siéntate bien hacia dentro en el asiento de la silla con la espalda y los muslos apoyados, las piernas ligeramente separadas, y los pies planos sobre el suelo.

CÓMO ELEVAR OBJETOS DEL SUELO

Ponte cerca del objeto. Ponte en cuclillas doblando las rodillas y manteniendo la espalda recta. Sujeta el objeto contra tu cuerpo con los hombros doblados.

Utilizando los músculos de las piernas levántate lenta y suavemente hasta ponerte de pie. Dobla las rodillas, no la espalda.

“Lo peor es lavar el baño. Inclinarme hacia delante me da dolor de espalda por lo que ahora me arrodillo y es mucho más sencillo.

«Cuando me levanto por las mañanas me pongo a cuatro patas y salgo así de la cama. Si no, me duele la parte baja de la espalda.”

CARGAR Y DESCARGAR EL MALETERO DEL COCHE

Si es posible, pide a alguien que te ayude a meter y sacar objetos pesados del coche. Si tienes que hacerlo sola, aprende a hacerlo correctamente de forma segura.

Para cargar: *colócate de pie con la cadera (si tienes una altura media) o el muslo (si eres más alta de lo normal) contra el borde del coche. Con los pies bien separados, coloca primero la carga sobre el borde del maletero. Dobla las rodillas e inclínate hacia delante con la espalda recta. Coge la carga e introdúcela en el maletero.*

Dobla las rodillas y coloca ambas manos bajo la carga. Dobla los brazos desde los codos para elevar la carga al borde del maletero.

Para descargar: *comienza en la misma posición que para la carga. Colócate con una cadera o un muslo contra el borde del maletero.*

Acerca la carga contra tu cuerpo y estira las piernas. Utiliza dos manos para cada bolsa para descargar la compra.

CÓMO TONIFICAR LOS MÚSCULOS

Prepara tu cuerpo para los cambios del embarazo y evita o alivia los dolores de espalda. Concéntrate en los músculos de la base de la pelvis, y en los de la parte inferior de la espalda.

MÚSCULOS DEL SUELO PÉLVICO

Se contraen cuando intentas interrumpir el flujo de orina. Puedes notarlos si introduces un dedo en la vagina y aprietas.

Imagínate que los músculos de la vagina, de la uretra y del recto forman la figura de un ocho. Contrae los muslos de modo que las formas redondeadas se conviertan en formas almendradas. Mantenlos apretados unos segundos. Relájalos. Repítelo cinco veces. Términa el ejercicio con una contracción.

MÚSCULOS DEL ESTÓMAGO Y DE LA PARTE INFERIOR DE LA ESPALDA

Intenta balancear la pelvis a ritmo de una melodía. Túmbate de espaldas con una o dos almohadas bajo la cabeza y los hombros, las piernas separadas con las rodillas dobladas y los pies planos sobre el suelo. Balancea la pelvis hasta tocar el suelo con la espalda. Relaja la espalda y repítelo ocho veces. Descansa y empieza.

Cualquier actividad que te divierta, y que implique movimientos rítmicos con intervalos de descanso tonificará tu cuerpo y favorecerá tu circulación, como la natación, y los paseos.

SER PADRE

LA IDEA DEL EMBARAZO SUELE RESULTAR EXCITANTE PARA LOS HOMBRES porque lo consideran una prueba de su masculinidad y les da confianza en sí mismos. A veces la pareja ha estado intentando tener un bebé durante mucho tiempo. Incluso en estos casos, la paternidad comporta un sentimiento de gran responsabilidad, y el hombre puede sentirse preocupado por las limitaciones que puede suponer para su libertad. Conviene tratar estos temas con tu pareja y hablar abiertamente sobre ellos.

— CÓMO SE SIENTE TU PAREJA —

Algunos hombres se desentienden completamente del embarazo porque piensan que no pueden colaborar en nada. Algunos tienen miedo de demostrar su vulnerabilidad y su ternura, debido al tabú social de que los hombres no pueden ser «blandos». Otras veces el hombre se torna celoso de la atención que se le presta a su compañera. También pueden asustarle los tremendos cambios que puede experimentar vuestra vida de pareja, o tener miedos secretos sobre el parto, o pensar que el bebé te apartará de él.

— TENSIONES EN VUESTRA RELACIÓN —

Aunque la relación suele tornarse más sincera y más profunda, también pueden aparecer problemas. Problemas que pueden haber estado siempre ahí, y que salen a la superficie con el embarazo, ya que supone un cambio fundamental en la vida de ambos.

— LA COMUNICACIÓN DE LA PAREJA —

Es muy importante hablar sobre vuestros sentimientos y no quedar atrapados en mundos independientes. Los dos vais a ser padres, y la adaptación es más fácil si existe comprensión entre vosotros y conocéis vuestros sentimientos. Puede ser interesante ir juntos a las clases de preparación para el parto, en las que se discuten abiertamente muchos temas.

CAMBIOS POSITIVOS
El embarazo puede añadir una nueva dimensión a vuestra relación.

“Nunca he pensado en mí mismo como padre. Es como si me hubiera hecho mayor de repente. En cierto modo me hace sentirme como mi padre, un hombre, no un niño.”

— PREPARACIÓN PARA EL PARTO —

Hoy en día muchos padres están presentes en el momento del parto. Pero incluso cuando la idea de tener un hijo le ilusione y se muestre deseoso de acompañarte en ese momento, puede sentirse preocupado, especialmente si es vuestro primer bebé. Las experiencias para las que uno no está preparado resultan difíciles de superar. Explica a tu pareja lo que tú deseas y cómo te sientes para que sepa y comprenda lo que va a suceder. Discute con él la forma en que te puede ayudar durante el parto.

“John está preocupado por mí, porque tengo cuarenta y dos años, y quiere que me hagan una cesárea. Me gustaría que el parto fuese lo más natural posible, por lo que quiero que comprenda mis sentimientos.»

«Antes de quedarme embarazada, nuestra relación no era muy seria. Nos lo pasabamos bien juntos, pero no estabamos comprometidos. Al enterarnos de que estaba embarazada, todo cambió y hacemos más cosas juntos. Tener un niño te hace sentirte más próximo. La escala de valores cambia.»

«No quiere hablar sobre el bebé. No le interesa en absoluto y se encierra en su trabajo. Me siento sola.»

«Yo sé que me toca hacer el papel de fuerte, pero no siempre me siento así. A veces me preocupa que el bebé pueda tener alguna tara, pero no puedo hablar sobre ello porque tengo que darle apoyo.»

«Ella habla sobre el bebé con ojos soñadores y a mí lo que me preocupa es la hipoteca.»

«Me siento extraño a todo lo que está pasando. He estado en la clínica de maternidad un par de veces y me dicen "siéntate aquí", y me ignoran. Quieren que vaya con ella para hablar sobre el parto y voy a tener que armarme de coraje e insistir en que nos escuchen.»

«Todo esto del embarazo no me parece real. No me excita en absoluto. Quizás más tarde, cuando se le note más, me haré a la idea.”

PENSANDO EN EL FUTURO JUNTOS

P ¿Quieres que tu pareja esté presente durante el parto?

P ¿Qué piensa tu pareja sobre su asistencia al parto?

P ¿Qué planes habéis hecho para que tu pareja sepa lo que va a ocurrir durante el parto?

P ¿Qué ayuda especial necesitas de tu pareja durante el embarazo?

P ¿Qué otras cosas podríais hacer juntos para que tu pareja comprenda tus necesidades y pueda disfrutar del parto?

FECHA DE HOY ____________

OTRAS RELACIONES

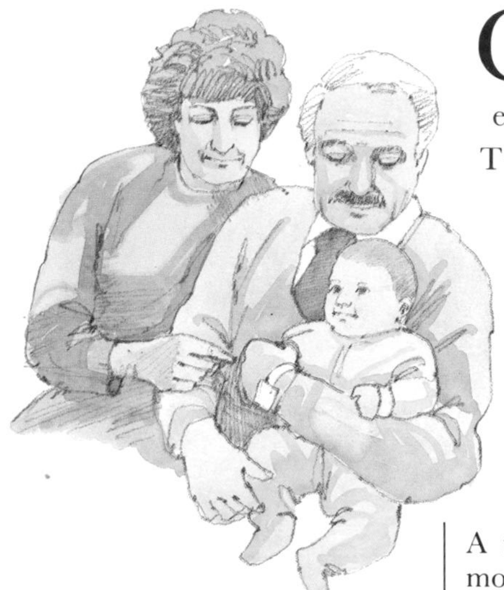

NUEVAS PERSPECTIVAS

Al observar a tus padres con el bebé, puedes verles bajo una nueva luz. Para los hombres que nunca tuvieron tiempo para disfrutar con sus hijos, la experiencia de ser abuelo puede darles muchas satisfacciones.

CUANDO NACE UN BEBÉ, todas tus relaciones personales cambian, aunque sea sutilmente. Esto ocurre especialmente con la familia y con las personas más allegadas. Tus relaciones con los compañeros de trabajo se alteran cuando te conviertes en madre. Te acercas más a otras colegas que también tienen hijos, o te apartas de otras personas que no los tienen. Durante las primeras semanas de vida de tu bebé, estarás concentrada en ocuparte de sus necesidades, por lo que tendrás poco tiempo para otras personas.

— TÚ y TUS PADRES —

A tus padres les puede encantar la idea de convertirse en abuelos, mostrarse indiferentes o mostrarse disgustados. Les puede resultar difícil aceptar que ya no eres su «niña», o sentirse repentinamente mucho mayores, o por el contrario sentirse deseosos de cuidar del bebé. La relación con tu propia madre suele cambiar profundamente cuando tú te conviertes en madre a tu vez. Hablad sobre vuestros sentimientos. Al compartir una experiencia que también fue importante para ella, podréis encontrar una nueva amistad y otros puntos de contacto.

— CÓMO PREPARAR A LOS HIJOS MAYORES —

Ahora es el momento de preparar a tus hijos mayores para aceptar al bebé. Cuéntales historias alegres sobre lo que pasaba cuando estaban en tu interior y las cosas tan agradables que sucedieron cuando nacieron. Llévales contigo a la clínica. Dile al médico que les deje oír los latidos del corazón con el estetoscopio, y a continuación que les deje oír los del bebé. Así se darán cuenta de que el bebé no es un muñeco que llevas en tu interior, sino un ser viviente preparado para nacer.

Si tienes que cambiarles de habitación, o si van a comenzar a ir a la guardería, hazlo mucho antes del nacimiento del bebé, para que no puedan interpretarlo como un signo de rechazo.

— CLASES PARA LOS NIÑOS —

Algunos educadores preparan clases especiales para los hermanos mayores, o dejan un rato de la clase normal para hablar sobre lo que el bebé hace y siente dentro de la «barriga de mamá», y para mostrarles cómo nacen los niños, utilizando un muñeco de tamaño natural. También explican a los niños que su nuevo hermano aún no podrá jugar con ellos.

Puedes utilizar las fotos y los dibujos de este libro para explicarles a tus hijos mayores cosas sobre el embarazo y el parto.

HERMANOS Y HERMANAS

Tus hijos mayores pueden escuchar el corazón del bebé en tu barriga. Explícales cómo son los recién nacidos y cómo se comportan.

RECUERDOS. *Enseña a tu hijo mayor cómo se alimenta un bebé del pecho de su madre. Puede acordarse de cuando le amamantabas a él.*

“En el hospital tenían unas fantásticas clases de preparación para los hermanos mayores. La mujer que las impartía trató todos los temas posibles, les explicó cómo se sentirían cuando el bebé llorara, cómo se enfadarían cuando les estropeara sus juguetes, etc. Al final del curso les dieron camisetas a todos que ponían «hermano mayor.»

«Estaba distanciada de mis padres. Entonces, con el embarazo, empecé a preguntarle a mi madre cómo habían sido sus partos, y comenzó una nueva amistad.”

CÓMO AYUDAR A TUS HIJOS A ADAPTARSE

P ¿Cómo puedes ayudar a tus hijos mayores a comprender el embarazo y el nacimiento de un nuevo bebé?

P ¿Qué ideas se te ocurren para ayudar a tus hijos mayores a adaptarse al nuevo bebé?

FECHA DE HOY

Si estás sola

Si eres una madre soltera, puede ser por decisión propia o porque no tienes otra alternativa. De cualquier modo, es conveniente que tengas otras personas con las que puedas compartir la aventura del embarazo. Tener a alquien que te acompañe durante el parto, alguien que esté próximo a ti, y con quien te puedes relajar fácilmente, favorece mucho esta experiencia.

MANTENTE EN CONTACTO *Si estas sola es muy importante evitar el aislamiento de los amigos, y mantener un círculo de gente que te proporcione apoyo.*

— PENSANDO EN EL FUTURO —

Desde ahora debes comenzar a preparar una buena red de apoyo para cuando nazca el bebé, y saber con quién puedes contar si necesitas ayuda. Necesitarás a alguien que cuide del bebé, y si tienes previsto volver a trabajar fuera, horarios flexibles. No es bueno para ninguna madre permanecer aislada con su hijo. La relación con otras personas, en asociaciones de madres, o simplemente en la puerta del colegio, te hará disfrutar más de tu nueva condición. Los problemas a los que te tienes que enfrentar, y el sentir que toda la responsabilidad de tu bebé recae sobre ti, son comunes a muchas mujeres que no están solas. Al cuidar de tu hijo, y al ver cómo crece y se desarrolla, descubrirás en ti misma una fuerza y un talento que no sabías que tuvieras.

COMPARTE TUS SENTIMIENTOS. *Puedes compartir con un amigo o con una amiga las intensas emociones de la maternidad.*

“Oculté mi embarazo todo lo que pude. Después mi madre me vio en el cuarto de baño. Se portó muy bien, pero algunas amigas del colegio se han apartado de mí. Quizás piensen que es contagioso.”

Organizarse bien

- Pide ayuda económica si lo necesitas.
- Averigua qué posibilidades de alojamiento tienes.
- Investiga de qué ayudas sociales te puedes beneficiar.
- Apúntate lo antes que puedas a las clases de preparación para el parto.
- Comenta con tu educador que eres madre soltera para que te pueda dar la ayuda especial que necesitas.
- Ponte en contacto con otras mujeres en tu misma situación a través de organizaciones.
- Averigua qué guarderías existen en tu zona y en tu trabajo.
- Hazte una lista de organizaciones, amigos, familiares, vecinos y cualquier otra persona que pueda ayudarte en caso de necesitarlo, con sus números de teléfono.

TU RED DE APOYO

P ¿A quién has recurrido para conseguir apoyo y amistad durante el embarazo?

P ¿A quién pedirás que esté contigo durante el parto?

P ¿Quién te ayudará cuando haya nacido el niño?

P ¿Cómo pueden apoyarte moralmente estas personas?

FECHA DE HOY

P ¿De qué forma práctica pueden ayudarte estos amigos?

PENSANDO EN EL FUTURO. *Fíjate en la experiencia de otras personas, y en la ayuda que recibieron.*

Semana 21 *a* 24

AL CABO DE 24 SEMANAS, la parte superior de tu útero se halla justo encima del nivel del ombligo. Problablemente estés aumentando entre 240 y 480 gramos por semana. Ahora que ya has superado la adaptación física y emocional del comienzo del embarazo, es posible que te encuentres muy bien, y que estés incluso más fuerte que antes. Tienes los ojos alegres, los cabellos brillantes y la piel resplandeciente, y tu paso es ligero.

Si al principio del embarazo perdiste interés por el sexo, como les pasa a muchas mujeres, probablemente ahora haya vuelto. Al hacer el amor, es más cómodo probar posturas en las que el peso de tu pareja no descanse sobre ti. Durante el embarazo, es conveniente hacer el amor de forma lenta y suave. Saber que el bebé está creciendo en tu interior, y disfrutar de la plenitud y madurez que está adquiriendo tu cuerpo, puede suponer para los dos una experiencia muy placentera.

CARICIAS SENSUALES
A algunas mujeres les gusta mucho que les acaricien el pecho.

Tu cuerpo

- El embarazo cambia tu patrón respiratorio. Los elevados niveles de la hormona progesterona estimulan la respiración, de forma que entra y sale más aire de tu interior. Cuando estás descansando, puedes hacer inspiraciones más profundas que antes de estar embarazada. Para respirar mejor:
- Comprueba que tu postura es buena.
- Respira lentamente llenándote por completo hasta la pelvis.
- Al respirar, concéntrate en la espiración, que debe ser completa y relajada, y notarás que la inspiración se facilita.

«Las relaciones sexuales son muy buenas ahora, porque no tengo que preocuparme de los anticonceptivos ni temo quedarme embarazada. Puedo ser más espontánea.»

«Nuestro último bebé fue muy prematuro, así que ahora, que más o menos coincide con el mes en que nació, aún hacemos el amor pero sin penetración.»

«No me siento cómoda con mi cuerpo. Es difícil relajarse y hacer el amor, aunque a Peter le encanta el aspecto que tengo.»

PENSANDO EN EL FUTURO

P Pensando en las semanas posteriores al parto ¿qué planes has hecho para tener tiempo y energía para tu bebé?

P ¿Qué ayuda necesitarás para las tareas de la casa?

P ¿Qué ayuda deseas tener para cuidar al bebé durante el día y la noche?

P ¿Qué ayuda necesitarás para cuidar de tus hijos mayores?

P ¿Te va a ayudar tu pareja a ocuparte del bebé?

P ¿Cómo piensa tu pareja adaptarse a las necesidades del bebé?

FECHA DE HOY

Semana 21 DIA / MES / AÑO

D
L
M
X
J
V
S

Semana 22 DIA / MES / AÑO

D
L
M
X
J
V
S

Semana 23 DIA / MES / AÑO

D
L
M
X
J
V
S

Semana 24 DIA / MES / AÑO

D
L
M
X
J
V
S

CÓMO ESTÁ CRECIENDO TU BEBÉ

A LAS 24 SEMANAS, los órganos del equilibrio del interior del oído están desarrollados y ya tienen el tamaño adulto. Notarás algo saltando en tu interior continuamente ya que el bebé se balancea cabeza abajo, cabeza arriba, de lado y vuelta a empezar.

Al final de este período se abren los ojos. El bebé tiene ya delicadas pestañas y cejas. El interior de tu útero no es oscuro, ya que la luz del sol y la luz artificial intensa puede filtrarse a través de las paredes abdominales, produciendo un reflejo rosado. Cuando te apartas de la luz, el útero queda oscuro de nuevo.

El bebé puede succionar el pulgar y a veces lo hace. Incluso en esta fase tan temprana, ya está aprendiendo a coordinar la succión y el reflejo de tragar, preparándose para la alimentación después del parto.

La piel es rojiza y muy arrugada, como si no estuviera bien adaptada. Es tan delgada que deja ver los vasos sanguíneos a su través cuando está iluminada.

Ahora, si tu médico encuentra el lugar adecuado, que no es fácil porque el bebé no para de moverse, ya se pueden oír los latidos de su corazón, no sólo con ecografía sino con un simple estetoscopio. Sus latidos parecen el sonido de un reloj antiguo ensordecido bajo una almohada. A veces el estetoscopio también recoge un sonido sibilante muy suave. Este silbido uterino se debe al paso de sangre por las arterias del útero, y coincide con tu pulso.

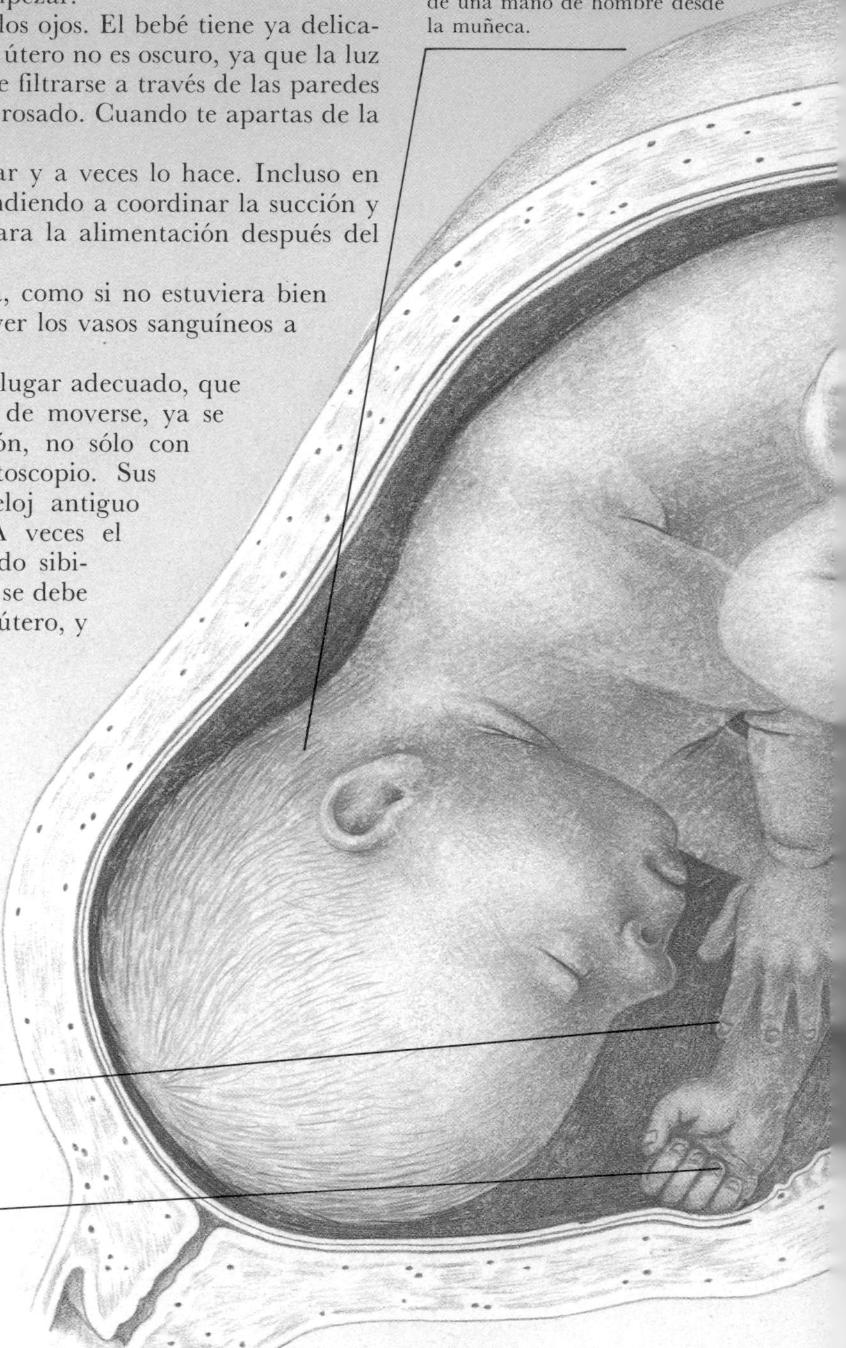

Desde la cabeza a las nalgas, el bebé mide unos 20 cm, aproximadamente la longitud de una mano de hombre desde la muñeca.

Ya están formadas las uñas de los dedos.

El bebé puede cerrar el puño y golpea con él contra la pared muscular del útero.

El bebé está aumentando de peso y creciendo muy rápidamente. Pesa aproximadamente lo mismo que un bote de miel, 420 gramos.

¿Sabías que...?

- El líquido amniótico contiene glucosa y fructosa, sal, proteínas, urea, ácido cítrico, ácido láctico, ácidos grasos y aminoácidos.
- El bebé ingiere este líquido.
- En la boca del feto hay muchos más receptores gustativos que en la boca de los niños o adultos.
- Si se inyecta una sustancia amarga en el líquido amniótico, el niño bebe menos. Si se endulza artificialmente, normalmente bebe el doble de rápido.
- Los movimientos oculares rápidos, que al igual que en los adultos indican que la persona está soñando, comienzan en la semana 23.

VIDA EN EL ÚTERO

El bebé lleva una vida muy activa en el útero, moviéndose, comiendo, oliendo, mirando, oyendo y quizás también soñando.

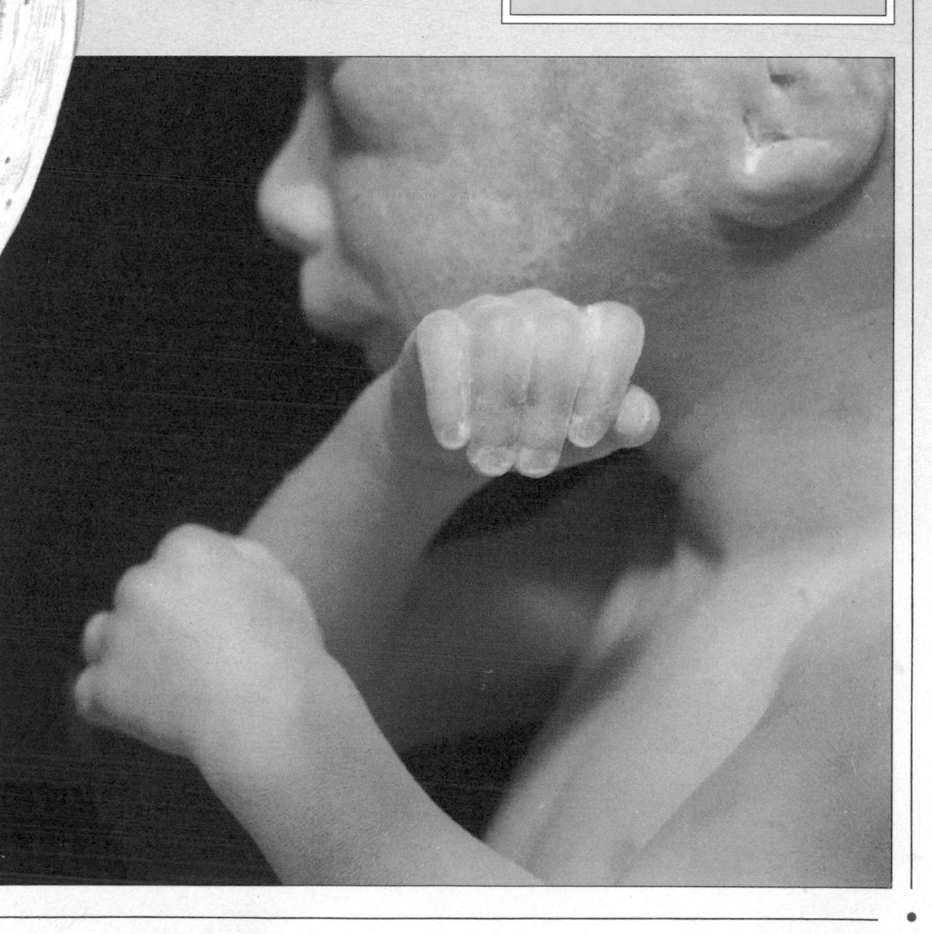

TUS SENTIMIENTOS

EL EMBARAZO ES UNA ÉPOCA de cambios muy rápidos y muy importantes, por lo que no es raro que a veces te sientas superada por las emociones. Estás creciendo como persona. Muchas mujeres tienen la sensación de sentirse más completas con el bebé desarrollándose en su interior. Sin embargo, el embarazo también es un período de adaptación: la vida nunca volverá a ser lo mismo que antes y puedes tener sentimientos conflictivos.

— TERNURA Y COMPASIÓN —

Te fijas en todos los bebés y sientes ternura hacia ellos. Puedes sentirte muy mal al ver en televisión noticias sobre niños maltratados o desnutridos, que hacen aflorar las lágrimas a tus ojos.

— MAYOR INTROSPECCIÓN —

Sientes como si estuvieras manteniendo una conversación, con el mundo exterior, y con el mundo interior de tu bebé. Esto puede hacer que parezcas un poco vaga, y despistada a veces. A algunas mujeres les preocupa estar perdiendo la memoria. No es así, lo que pasa es que estás muy ocupada con la otra persona que llevas en tu interior.

ESTAR EN CONTACTO. *Compartir la excitación del embarazo crea un nuevo vínculo entre la madre y el hijo.*

— SUEÑOS MÁS VIVIDOS —

Puedes tener sueños muy reales y en tecnicolor, llenos de imágenes de agua, muerte o cachorros. A veces se convierten en pesadillas.

Si ya tienes un hijo, puedes soñar que le sucede algo terrible. Estos sueños se deben a que temes no tener bastante amor para dar a ambos, al mayor y al que va a nacer.

— COMPROMISO Y APRENSIÓN —

Te sientes comprometida a ser una buena madre. Esto puede llevarte a leer y a averiguar todo lo que puedas sobre el embarazo y los bebés, a prepararte bien para el parto, y a hacer planes para tu hijo.

Puedes tener la sensación de estar iniciando una aventura. Es excitante, pero te sientes insegura sobre todo lo que sucederá, tanto en el parto como después.

— CREATIVIDAD Y FUERZA —

A medida que te vas acercando al momento del parto, notas que tu energía se multiplica, marcando el fin de un capítulo de tu vida y el comienzo de uno nuevo. Te puedes enfrentar al trabajo enérgicamente, terminar los trabajos buscando la perfección o iniciar nuevas actividades creativas. También notarás que tu instinto maternal aumenta.

¿No puedes dormir?

- Tus pensamientos pueden ser tan turbulentos que te impiden dormir por la noche. Intenta los siguientes trucos:
- Un baño caliente, con unas gotitas de aceite de lavanda.
- Un vaso de leche o una taza de infusión a la hora de dormir. Ten cuidado de no beber demasiado para no tener que levantarte a orinar.
- Respiración lenta y profunda. Practícala durante el silencio de la noche.

«Todo ha ido de maravilla hasta ahora. El doctor dice que esoy increíblemente sana. Pero a medida que se acerca el momento del parto, empiezo a sentir que quizás haya confiado demasiado. Es como el miedo a entrar en escena. Los actores dicen que si lo sientes previamente, te encontrarás bien la noche del estreno.»

«Lo único que me preocupa es que estoy teniendo mucho jaleo para poder controlar el parto, especialmente para poder tener el bebé en casa. Por lo demás me encuentro muy bien.»

«Quiero decirle a todo el mundo que estoy embarazada, me encuentro tan bien.»

«Puede sonar mal, pero estoy decidida a que no me pase como a mi madre. Dedicó toda su vida a su marido y a sus hijos. Quiero dejar algo de tiempo para mí misma, para mí, no para la mujer de Julián y la madre del bebé.»

«Me encontraba horriblemente cansada en los primeros meses y creía que sería así todo el tiempo. Ahora me encuentro de maravilla. Quiero hacer cosas. Me siento llena de energía.»

«Mi último embarazo fue horroroso, no porque estuviera enferma, sino porque las visitas al hospital eran interminables y me hacían sentir fatal, me asustaban y acababan con mi confianza. El tener una comadrona como consejera ha cambiado completamente este embarazo. Pasa tiempo conmigo, hablando sobre mis sentimientos, y se ha hecho amiga de toda la familia. Es cariñosa y tranquila, por lo que me siento mucho más positiva sobre mí misma.»

TUS EMOCIONES EN ESTOS MOMENTOS

P ¿Qué sentimientos especiales tienes en esta fase del embarazo? Descríbelos aquí.

FECHA DE HOY

PENSANDO EN EL PARTO

NADIE SABE REALMENTE qué es lo que inicia el parto. Puede ser simplemente que el útero ya no puede crecer más. También puede deberse a las hormonas naturales producidas por la placenta, por el bebé o por ambos, que preparan tu cuerpo, (que ha alimentado al bebé durante meses), para dar a luz. El parto es una experiencia individual. Aunque las demás mujeres te cuenten sus experiencias, la tuya será completamente distinta.

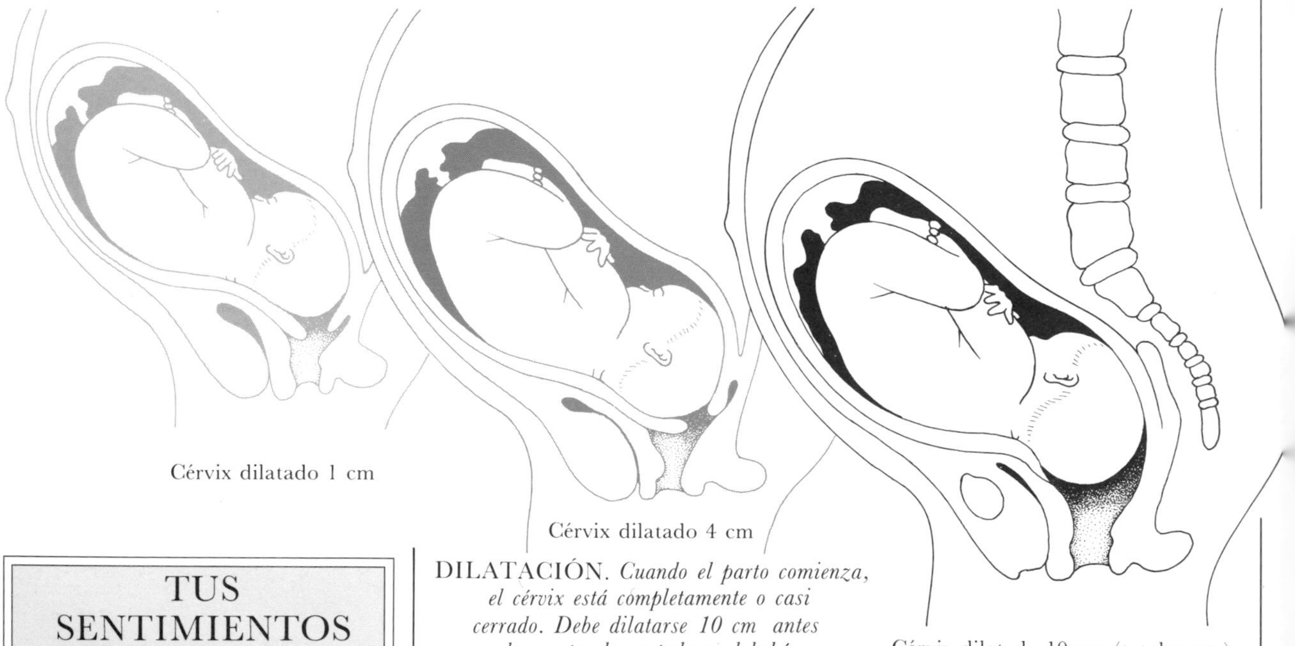

Cérvix dilatado 1 cm

Cérvix dilatado 4 cm

Cérvix dilatado 10 cm (totalmente)

DILATACIÓN. *Cuando el parto comienza, el cérvix está completamente o casi cerrado. Debe dilatarse 10 cm antes de que puedas expulsar al bebé.*

TUS SENTIMIENTOS EN EL PARTO

Cuando el parto comienza te puedes sentir muy excitada. ¡Ya ha llegado! A mitad de la dilatación (5 cm) te vuelves más seria e introvertida. Entre los 8 y los 10 cm tienes que concentrarte para poder seguir adelante, y puedes volverte irritable y enfadarte. Cuando empiezas a empujar hacia fuera, te sientes de nuevo excitada y llena de energía. Entonces, con el nacimiento de tu bebé, sientes una oleada de emoción: sorpresa, alivio, agradecimiento y triunfo.

— CONTRACCIONES PREPARTO —

Las contracciones de Braxton Hicks, con las que quizás ya estés familiarizada, son el primer tipo de contracciones que sentirás. A medida que el parto se acerca, empiezan a suavizar y a acortar el cérvix. Ahora es el momento de prácticar la relajación y dormir todo lo que puedas.

—CÓMO FUNCIONAN LAS CONTRACCIONES EN EL PARTO —

Imagínate que tu útero es un balón o un globo hinchado. Si aprietas la parte superior del globo mientras estiras de los lados con la manos, la parte de abajo se distenderá hacia arriba. Esto es lo que sucede con el útero. Los músculos de la parte superior se contraen, haciendo que la parte inferior se abra. Las fuertes contracciones que notas cuando el parto ha comenzado realmente, abren el cérvix. Van volviéndose más fuertes y más frecuentes, y entonces, cuando aparecen cada dos minutos más o menos, empujan al bebé fuera del cérvix y la vagina.

— PROS Y CONTRAS DE LOS FÁRMACOS PARA ALIVIAR EL DOLOR —

Quizás ya estés pensando si deseas tomar medicamentos para aliviar el dolor, y si es así, cuáles son los mejores.

La petidina, que normalmente se administra como una inyección, elimina el dolor agudo, pero puede hacerte sentir adormilada e incapaz de concentrarte. El bebé puede mostrarse somnoliento y negarse a comer en los primeros días. El entonox, una mezcla de óxido nitroso y oxígeno, se inhala mediante una máscara que puedes controlar. La sensación de relajación que proporciona, desaparece con unas cuantas respiraciones. El entonox no afecta al bebé.

La anestesia epidural y la espinal son administradas por un especialista. Actúa desde la cintura hacia abajo, aunque puede persistir algo de dolor. A veces la tensión arterial cae repentinamente, lo que puede hacerte sentir mareos y náuseas. Elevan el riesgo de parto con fórceps (*véase* página 110).

El bloqueo pudendo consiste en una inyección de anestesia local en el interior de la vagina. Se administra en los partos con fórceps cuando aún no se ha administrado anestesia epidural, para que la mujer no note el parto. La anestesia local se utiliza antes de realizar una episiotomía (*véase* página 110) y para reparar desgarros, pero tarda unos minutos en hacer efecto.

EPIDURAL. *Ésta es la mejor posición para la inyección.*

«Seguía teniendo contracciones de Braxton Hicks. Algunas eran bastante dolorosas por lo que pensé que era el parto. Llamé al hospital y mientras se lo explicaba me di cuenta de que eran contracciones preparto porque aparecían en oleadas, y podían pasar veinte minutos entre una y otra. La comadrona me dijo que sabría cuando empezaría el parto ya que las contracciones serían más fuertes, más largas y más juntas entre sí.»

«Mi hermana dice que le aparecieron las contracciones como dolores de la regla y que después era como si llevara una banda elástica alrededor de la barriga. Jorgina las notaba en la espalda, e Isabel sentía dolor hasta los muslos. Isabel dice que cada contracción era como un gran globo que le hincharan en el interior. Cuando practico la relajación y los ejercicios de respiración, me imagino todas estas cosas, así que estoy preparada para todo.»

PENSANDO EN EL FUTURO

P ¿Cómo te estás preparando para el nacimiento de tu bebé?

P ¿Qué piensas sobre el empleo de fármacos para aliviar el dolor en el parto?

FECHA DE HOY

Disfruta con la relajación

Siempre que puedas dedica tiempo a ti misma. Emplea este tiempo para relajarte. Es bueno para el cuerpo y para la mente. Te ayuda a conservar la energía y a reflexionar sobre tus pensamientos. Puedes centrar tu imaginación en el bebé que crece en tu interior y en el poder de tu cuerpo para abrirse y para dar a luz, imaginándote al final con el bebé en tus brazos.

“Cuando empecé a practicar la relajación, me di cuenta de lo tensa que estaba. Si tenía problemas en el trabajo, tensaba los hombros y la mandíbula. Ahora sé relajar los hombros y la mandíbula.”

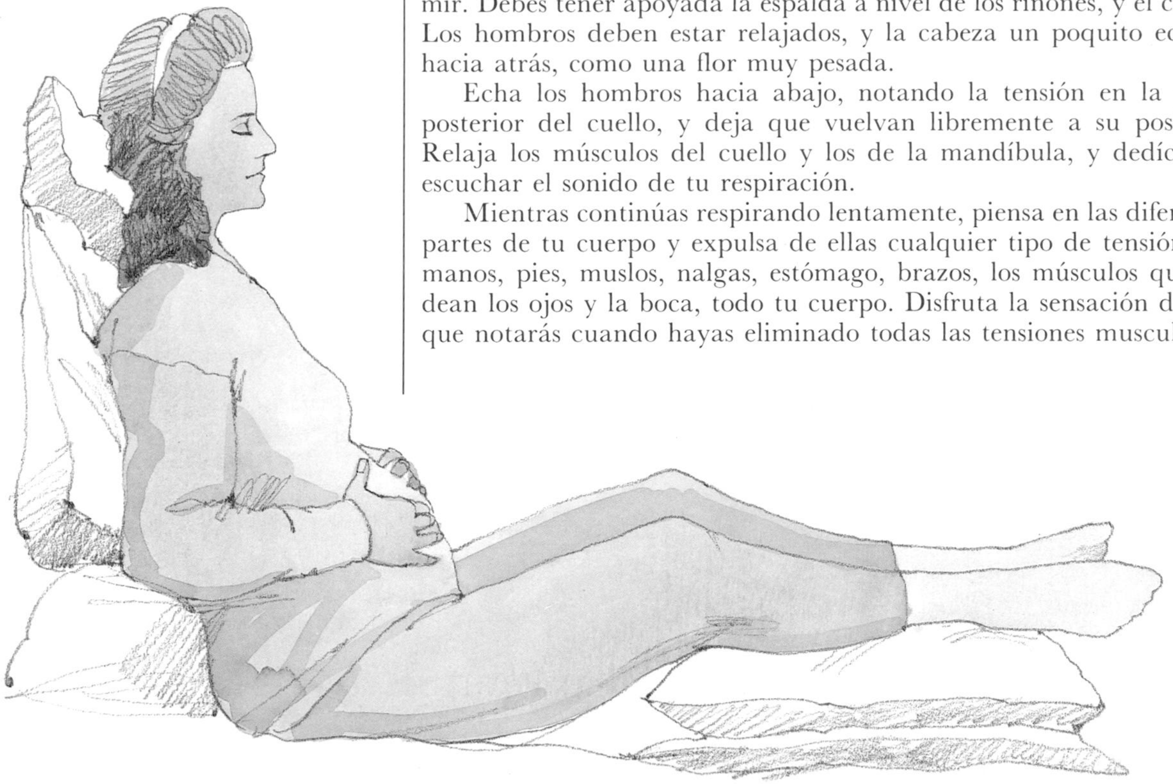

RELAJACIÓN PROFUNDA. *Aprender a relajarse proporciona una sensación de bienestar, y ayuda a apreciar mejor la vida que está creciendo en tu interior.*

— Relajación para el parto —

Si durante el parto te relajas y utilizas tu cuerpo para colaborar en lugar de luchar contra él, notarás menos dolor que si estás tensa. El cérvix se abre con más facilidad y el útero funciona mejor, y como no estás malgastando energía, te encontrarás menos cansada cuando nazca el bebé. Aprender a relajarse para el parto es igual que aprender otras cosas. Aunque al comienzo quizás no lo hagas bien, conseguirás dominarlo con algo de práctica. El descubrir que eres capaz de relajarte aumentará la confianza en ti misma.

— Eliminación de las tensiones —

Este sencillo ejercicio te ayudará a saber cómo se siente tu cuerpo cuando está relajado. Colócate sentada o tumbada, apoyada en muchos almohadones, en una posición que te resulte cómoda para dormir. Debes tener apoyada la espalda a nivel de los riñones, y el cuello. Los hombros deben estar relajados, y la cabeza un poquito echada hacia atrás, como una flor muy pesada.

Echa los hombros hacia abajo, notando la tensión en la parte posterior del cuello, y deja que vuelvan libremente a su posición. Relaja los músculos del cuello y los de la mandíbula, y dedícate a escuchar el sonido de tu respiración.

Mientras continúas respirando lentamente, piensa en las diferentes partes de tu cuerpo y expulsa de ellas cualquier tipo de tensión: tus manos, pies, muslos, nalgas, estómago, brazos, los músculos que rodean los ojos y la boca, todo tu cuerpo. Disfruta la sensación de paz que notarás cuando hayas eliminado todas las tensiones musculares.

EL MASAJE

Puede resultar muy agradable que te den un masaje en el abdomen o en la parte inferior de la espalda mientras intentas imaginarte al bebé. Puedes utilizar esencias o aceites perfumados; los de geranio y los de rosa son muy agradables.

El masaje es una experiencia muy sensual y que ayuda a conservar la energía y la confianza en ti misma para lo que se te avecina.

MASAJE EN LOS HOMBROS
El masaje se realiza con los pulgares colocados a ambos lados de la columna vertebral.

Un masaje abdominal suave te ayudará a relajarte y a entrar en contacto con el bebé. Piensa que tu bebé también nota el masaje. De ahora en adelante, notarás que el bebé parece moverse y dar patadas en respuesta al masaje. A veces, incluso parece que esté jugando con las manos. Para un padre, este primer contacto con el bebé puede ser muy emocionante.

Al relajarte, la tensión abandona el centro del cuerpo y se dirige hacia la periferia, hacia los músculos cercanos a la piel, para desaparecer. Con el masaje se potenciar esta sensación, realizando movimientos fuertes hacia fuera y abajo, y movimientos muy suaves hacia arriba o dentro.

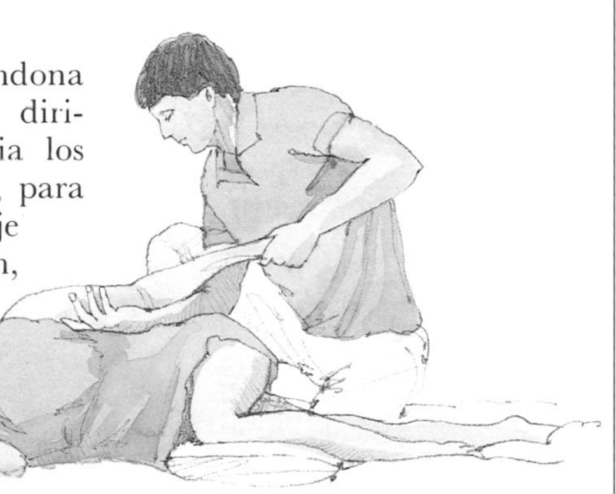

MASAJE EN LOS BRAZOS
Cogiendo el brazo por la muñeca, se masajea la parte interna del brazo con suavidad y firmeza.

Cómo hacer el masaje

- El masaje siempre debe hacerse con las manos y los brazos relajados.
- Realice el masaje suavemente, amoldando las manos a la forma del cuerpo.
- Presione más fuerte sobre la parte inferior de la espalda y suavemente sobre el abdomen.
- Si el masaje es firme, no tense los músculos de los brazos, sino que deje que el peso de su cuerpo pase a través de sus brazos relajados hacia la parte del cuerpo que está masajeando.

“Me doy un baño, y luego me tumbo en una alfombra en el suelo y Chris me da un masaje por todo el cuerpo con un aceite especial.»

«Es un momento reservado para nosotros y el bebé. Estamos empezando a conocerle a través del tacto.»

«Aprender a relajarse, y estos masajes regulares, me han ayudado a sentirme más tranquila, y más centrada.”

MASAJE ABDOMINAL
Siempre debe ser lo más suave posible, como si estuviera acariciando la cabeza del bebé.

Semanas 25 *a* 28

A LAS 28 SEMANAS las venas de las piernas pueden ser más visibles, y aparecer venas varicosas. Esto es en parte hereditario y en parte debido a que las hormonas del embarazo debilitan las válvulas de las venas. Esto es inevitable, pero sí puedes evitar estar mucho de pie y debes tumbarte con las piernas más elevadas que la pelvis para facilitar el retorno venoso al corazón. El debilitamiento y distensión de los ligamentos pélvicos produce dolor de espalda. Mantén la columna recta, y piensa que tu cabeza se balancea en el extremo de las vértebras del cuello.

Tu cuerpo

- Pueden aparecer estrías rojizas donde la piel se ha distendido, especialmente en el estómago, nalgas y mamas.
- La mitad de las mujeres embarazadas padece acidez en esta fase. Es una sensación de ardor en la garganta, y se debe a que la progesterona debilita una válvula del tubo digestivo, lo que produce un reflujo ácido del estómago. Haz comidas poco copiosas, y evita inclinarte y tumbarte sobre la espalda.

“Estoy redonda e hinchada, como un ídolo de barro de la maternidad.»

«Nunca me he encontrado tan a gusto con mi cuerpo, tan satisfecha.”

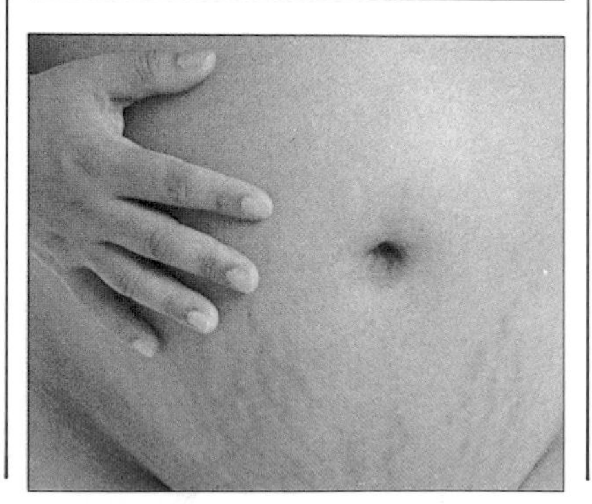

ESTRÍAS
Las estrías se aclaran y se tornan de color plateado tras el parto.

MIRANDO HACIA ATRÁS

P ¿Es esta fase del embarazo como tú pensabas?

P ¿Ha sucedido algo de forma distinta a lo que esperabas, o a lo que deseabas?

FECHA DE HOY

Semana 25 DIA | MES | AÑO

D
L
M
X
J
V
S

Semana 26 DIA | MES | AÑO

D
L
M
X
J
V
S

Semana 27 DIA | MES | AÑO

D
L
M
X
J
V
S

Semana 28 DIA | MES | AÑO

D
L
M
X
J
V
S

CÓMO ESTÁ CRECIENDO TU BEBÉ

A LAS 28 SEMANAS, el bebé es capaz de oir mucho mejor. Al comienzo del embarazo, las terminaciones nerviosas que captan el sonido aún no estaban conectadas, por lo que experimentaba el sonido como una fuerte vibración, como las cuerdas de un violonchelo o una guitarra.

La gente piensa que dentro del útero reina el silencio. Ahora se sabe que es un lugar ruidoso, como una estación de trenes, una fábrica o la sala de máquinas de un barco. Se oyen ruidos del estómago, y los del corazón y los pulmones cuando se expanden y contraen. Si estás andando o asistes a una fiesta, el ruido es aún mayor. Durante todo el embarazo, el útero tiembla con vibraciones.

Cuando hablas, tu voz retumba en el interior de tu cuerpo. El corazón del bebé late fuerte cuando hablas. El bebé se acostumbra al sonido de tu voz y la puede reconocer inmediatamente después del parto. Aun así, tu voz le llega ensordecida debido al vérnix, una capa de crema protectora que cubre el bebé cuando nace, y que le tapona los oidos.

Su cuerpo está recubierto de pelo fino. Está distribuido como las ondas que deja el mar en la arena.

PIEL TRANSPARENTE

A través de la piel traslúcida del bebé se pueden ver sus pequeñas venas.

En esta fase puede estar colocada con la cabeza hacia arriba pero a partir de ahora se pondrá boca abajo.

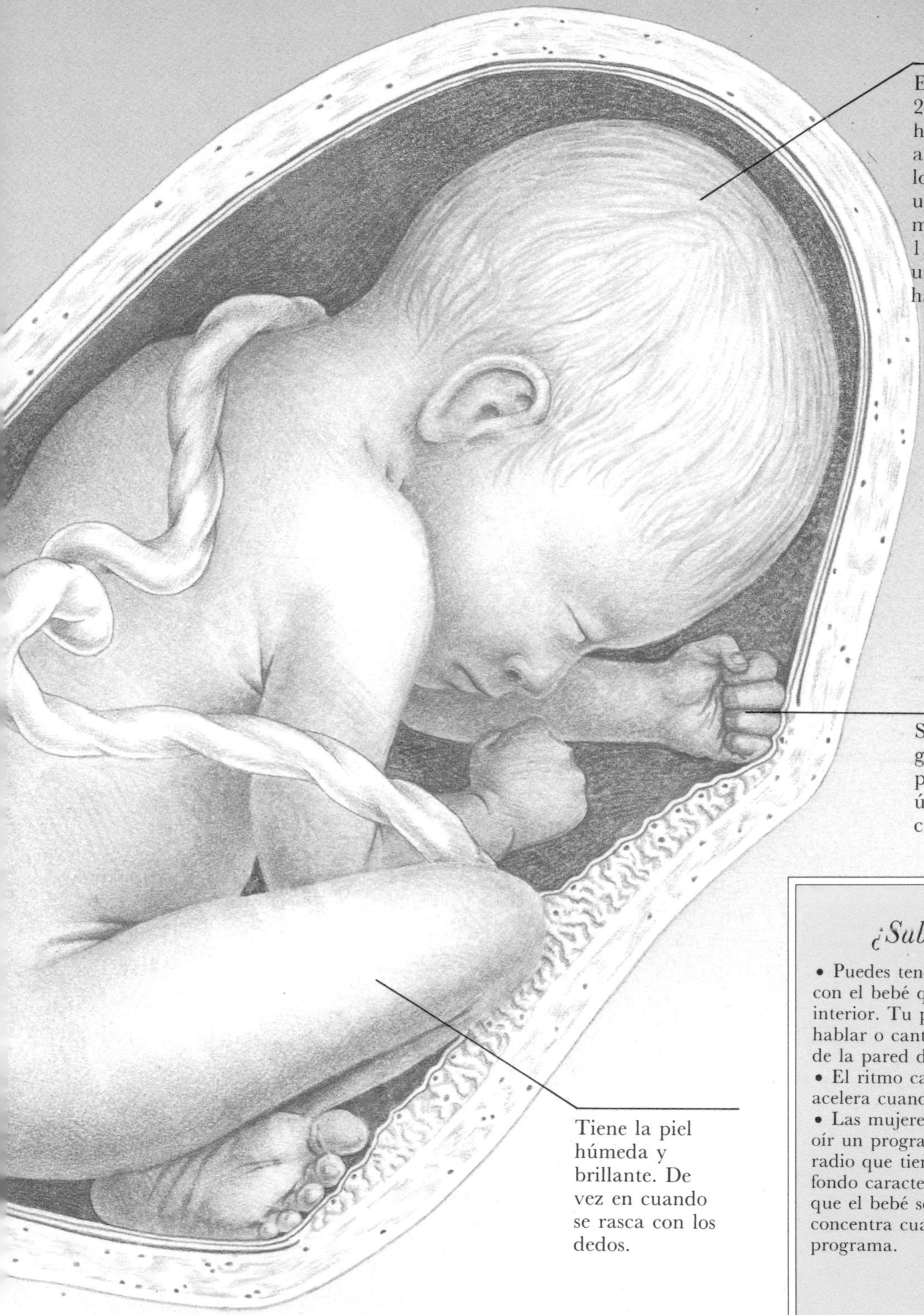

El bebé mide ahora 24 cm desde los pies hasta las nalgas, aproximadamente la longitud del brazo de una mujer desde la muñeca al codo. Pesa 1,5 kg, lo mismo que una bolsa grande de harina.

Se despereza y golpea con el puño la pared del útero. A veces se chupa las manos.

Tiene la piel húmeda y brillante. De vez en cuando se rasca con los dedos.

¿Sabías que...?

- Puedes tener «conversaciones» con el bebé que está en tu interior. Tu pareja también puede hablar o cantarle al bebé a través de la pared del abdomen.
- El ritmo cardíaco del bebé se acelera cuando hablas.
- Las mujeres que acostumbran a oír un programa de televisión o de radio que tiene una música de fondo característica, a veces notan que el bebé se calma y se concentra cuando empieza el programa.

RETOS EMOCIONALES

EL PARTO SE APRÓXIMA y tú puedes sentirte muy tranquila. Sin embargo, muchas mujeres pasan períodos en los que se encuentran como si estuvieran al borde de una montaña a punto de caerse. Es excitante y aterrador al mismo tiempo. Te preguntas: *¿Saldrá todo bien? ¿Seré capaz de soportar el dolor? ¿Qué me harán? ¿Estará bien el bebé? ¿Seré una buena madre?* Es conveniente hablar sobre tus sentimientos con otras mujeres embarazadas y parejas; ésta es una de las razones por las que las clases en las que se discuten estos temas son tan útiles. El ser consciente de estos retos te permitirá desarrollar estrategias para enfrentarte a ellos.

¿Por qué te sientes así?

- La ansiedad sobre el parto es un estímulo para reflexionar sobre el tipo que deseas y para aprender todo lo que puedas para enfrentarte al dolor positivamente.
- La sensibilidad exagerada y la facilidad con que te brotan las lágrimas, son signos de que estás en un estado emocional que hace a la madre especialmente sensible al bebé recién nacido.
- Todas las emociones fuertes que sientas ahora te ayudarán a prepararte para los cambios que se avecinan.

— ¿SERÉ CAPAZ DE SOPORTAR EL DOLOR? —

Quizás te preocupe que tu umbral de dolor sea muy bajo, o la idea de que nunca te has enfrentado al dolor antes. Si tu madre lo pasó mal en los partos, quizás te asuste que contigo suceda lo mismo. No debes malgastar este miedo. Lo puedes aprovechar de forma constructiva para aprender a relajarte y respirar, y trabajar en armonía con el poder de tu útero.

“«Tim y yo estamos muy enamorados. Estamos asustados por el bebé, pero no queremos que nuestra relación se altere. He visto muchas parejas alejarse cuando llegan hijos y no quiero que nos suceda lo mismo. En el fondo me asusta este pensamiento: ¿aún me querrá? y ¿me sentiré desgarrada entre sus necesidades y las del bebé?»

«Cuando me despierto por la noche me preocupa pensar que el bebé pueda ser anormal. Y pienso que si hablo sobre ello hay más posibilidades de que esto suceda.”

— ¿QUÉ ME HARÁN? —

Si no sabes quién se va a ocupar de ti durante el parto, puede preocuparte que otros profesionales tomen decisiones por ti y que en el parto no se respeten tus decisiones.

Pregunta a otras mujeres sobre sus experiencias y ponte en contacto con organizaciones y grupos de mujeres para averiguar cómo puedes conseguir el tipo de cuidados que deseas.

— ¿ESTARÁ BIEN EL BEBÉ? —

Puede parecerte imposible que tu cuerpo pueda producir un bebé perfecto, especialmente si no confías en tu propio valor, y si sientes que no estás al nivel de las demás personas. La conciencia de los riesgos ambientales que implican nuestra sociedad, pueden hacerte temer que algo de lo que comiste, respiraste o hiciste haya podido dañar a tu bebé. De hecho, la mayoría de los niños son milagrosamente perfectos.

— ¿SERÉ UNA BUENA MADRE? —

Si es tu primer hijo, puedes tener dudas acerca de tus instintos maternales. Es posible que no disfrutes demasiado con los hijos de los demás. Si perteneces a una familia pequeña probablemente no creciste rodeada de bebés, por lo que no te acostumbraste a tratarlos. La maternidad es un comportamiento adquirido. Después del parto necesitarás tener al niño cerca y pasar mucho tiempo con él para observarle y adaptarte a él. Después tu hijo te enseñará a ser una buena madre.

“Después de tener a Jorge sufrí una depresión, y mé sentí muy distanciada del bebé durante los seis primeros meses. Me parece que le he fallado. Y temo que esto pueda sucederme otra vez. Por tanto voy a tener al nuevo bebé en casa, pero aun así estoy nerviosa.”

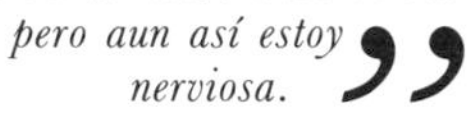

HABILIDADES MATERNAS

Aprender a ser madre, se adquiere con el contacto con los niños, y la creciente confianza en una misma para cuidarles.

¿Y SI...?

Tus ojos se llenan de lágrimas por la noche cuando te sientes más sola.

COMPARTE TUS MIEDOS

P ¿Tienes algún miedo o preocupación que quieras tratar con alguien cercano a ti, o en las clases?

FECHA DE HOY

PLANES PARA EL PARTO

UN PLAN PARA EL PARTO ES UNA LISTA diseñada por ti de las cosas que consideras importantes sobre el parto y el período postparto. Es mejor discutirla con los que van a ocuparse de ti que simplemente dársela. No debe ser un ultimátum ni una lista muy larga. Se inserta una copia en tu historia médica; tú debes guardar otra y darle una a cada una de las personas que se ocuparán de ti durante el parto. Si durante el embarazo te han cuidado siempre las mismas personas y van a ser las que se ocupen de ti durante el parto, no será necesario un plan de parto. Pero si al llegar el momento del parto te vas a encontrar con personas con las que no has tenido contacto antes, un plan de parto les ayudará a conocer tus deseos.

Procedimientos que se pueden emplear en el parto

- Rasurado del pubis (hoy en día es una práctica menos utilizada).
- Administración de un edema o de supositorios (a veces no se hace).
- Monitorización electrónica permanente del feto.
- Amniotomía (inducir la ruptura de la bolsa de las aguas).
- Estimulación con oxitocina para estimular (acelerar) el parto.
- Un goteo intravenoso para introducir glucosa en la sangre.
- Medicamentos para aliviar el dolor (entonox, petidina, epidural).
- Episiotomía (corte).
- Cesárea planificada (con anestesia general o epidural).
- Empleo de fórceps o de ventosa.

AVERIGUA TODO LO QUE PUEDAS

Discute con el médico los aspectos que más te preocupan. Pregúntale sobre su experiencia con los distintos procedimientos, por qué consideran que algunos son útiles, y por qué han abandonado otros que antes se utilizaban normalmente. Después anota tus deseos en el plan de parto.

— CÓMO DISEÑAR TU PROPIO PLAN —

El plan debe indicar: las personas que quieres que te acompañen durante el parto, qué es lo más importante para ti durante el parto, tu opinión sobre los procedimientos que se pueden emplear en el parto, qué te gustaría tener en el paritorio, las cosas que te gustaría poder hacer (por ejemplo poder andar), cuánto tiempo te gustaría que te dejarán con tu bebé, y cómo quieres alimentarle.

Vuelve a leer lo que escribiste en *tus decisiones* en las páginas 16 y 17. A continuación lee las preguntas de las páginas 82 y 83 para tomar notas y hacer tu propio plan. Escríbelo en una hoja de papel y haz todas las copias que necesites.

— HAZ PLANES PARA POSIBLES COMPLICACIONES —

Al organizar una excursión al campo, se hacen planes alternativos ante la eventualidad de que llueva. Con el parto debe hacerse lo mismo. Si el parto es más complicado, más largo, doloroso o difícil de lo que se esperaba, o si el bebé tiene que recibir cuidados especiales, resulta muy útil haber planeado con anticipación lo que deseas en estas circunstancias. El tener en cuenta estas posibilidades no aumenta las probabilidades de que se produzcan, pero te ayudará a enfrentarte a ellas más eficazmente si el parto trae sorpresas.

A menos que exista mucho riesgo de necesitar una cesárea, o que el bebé requiera cuidados especiales, no es necesario que redactes por escrito tus deseos sobre estos aspectos. Pero asegúrate de que la persona que te acompañará durante el parto sabe lo que tú quieres, y será capaz de expresar tus preferencias y deseos en caso de que tú no puedas hacerlo en ese momento.

«Consultaron mi plan de parto, lo discutieron conmigo y noté que estaban de mi parte.»

«Cuando le enseñé mi plan de parto la doctora levantó las cejas y dijo «has leído muchos libros». Me reí y dije "¿usted no?". Ella contestó, "es mi trabajo". "Bien", dije yo, "tener un bebé es mi trabajo en este momento, y quiero hacerlo lo mejor que pueda".»

PLANES DE PARTO DE DOS MUJERES

DECISIONES SOBRE EL PARTO. *Estos dos ejemplos de planes, demuestran cómo puedes ayudar a tu médico a conocer tus deseos.*

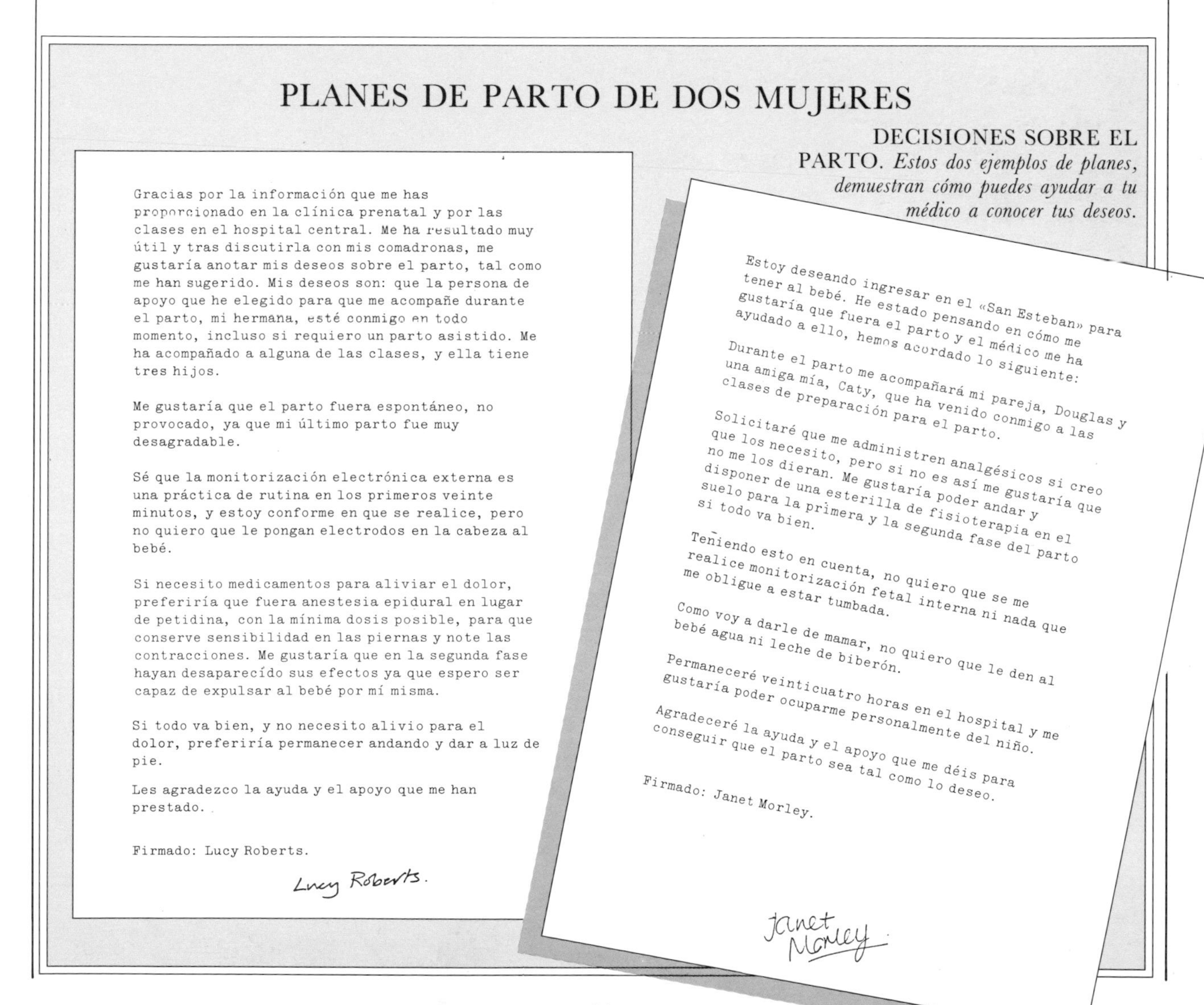

Gracias por la información que me has proporcionado en la clínica prenatal y por las clases en el hospital central. Me ha resultado muy útil y tras discutirla con mis comadronas, me gustaría anotar mis deseos sobre el parto, tal como me han sugerido. Mis deseos son: que la persona de apoyo que he elegido para que me acompañe durante el parto, mi hermana, esté conmigo en todo momento, incluso si requiero un parto asistido. Me ha acompañado a alguna de las clases, y ella tiene tres hijos.

Me gustaría que el parto fuera espontáneo, no provocado, ya que mi último parto fue muy desagradable.

Sé que la monitorización electrónica externa es una práctica de rutina en los primeros veinte minutos, y estoy conforme en que se realice, pero no quiero que le pongan electrodos en la cabeza al bebé.

Si necesito medicamentos para aliviar el dolor, preferiría que fuera anestesia epidural en lugar de petidina, con la mínima dosis posible, para que conserve sensibilidad en las piernas y note las contracciones. Me gustaría que en la segunda fase hayan desaparecído sus efectos ya que espero ser capaz de expulsar al bebé por mí misma.

Si todo va bien, y no necesito alivio para el dolor, preferiría permanecer andando y dar a luz de pie.

Les agradezco la ayuda y el apoyo que me han prestado.

Firmado: Lucy Roberts.

Lucy Roberts.

Estoy deseando ingresar en el «San Esteban» para tener al bebé. He estado pensando en cómo me gustaría que fuera el parto y el médico me ha ayudado a ello, hemos acordado lo siguiente:

Durante el parto me acompañará mi pareja, Douglas y una amiga mía, Caty, que ha venido conmigo a las clases de preparación para el parto.

Solicitaré que me administren analgésicos si creo que los necesito, pero si no es así me gustaría que no me los dieran. Me gustaría poder andar y disponer de una esterilla de fisioterapia en el suelo para la primera y la segunda fase del parto si todo va bien.

Teniendo esto en cuenta, no quiero que se me realice monitorización fetal interna ni nada que me obligue a estar tumbada.

Como voy a darle de mamar, no quiero que le den al bebé agua ni leche de biberón.

Permaneceré veinticuatro horas en el hospital y me gustaría poder ocuparme personalmente del niño.

Agradeceré la ayuda y el apoyo que me déis para conseguir que el parto sea tal como lo deseo.

Firmado: Janet Morley.

Janet Morley

HAZ TU PLAN DE PARTO

P ¿Quién te gustaría que estuviera contigo durante el parto?

P ¿Qué es lo más importante para ti acerca del parto?

P ¿Quieres que se te mantenga informada y que te permitan participar en las decisiones que se tomen?

P ¿Qué cosas te gustaría tener en el paritorio?

CARDIOTOCÓGRAFO. *Registra el ritmo cardíaco fetal y las contracciones simultáneamente.*

P ¿Deseas algo especial de los que se ocuparán de ti?

P ¿Qué piensas sobre los procedimientos médicos que se pueden emplear durante el parto?

P ¿Tienes algún deseo especial sobre el momento de la expulsión?

P ¿Consideras que hay algo importante que puedas hacer durante el parto?

P ¿Qué otras cosas son importantes para ti respecto al parto en sí?

P ¿Quieres que la tercera fase del parto sea inducida médicamente, o preferirías que el parto fuera natural?

P ¿Tienes algún deseo especial sobre la hora inmediatamente posterior al parto?

P En los días y horas posteriores, ¿cuánto tiempo te gustaría pasar con el bebé?

P ¿Te gustaría que el niño permaneciera en la cama contigo, al lado de la cama o en la clínica de maternidad?

P ¿Cómo quieres alimentar a tu bebé?

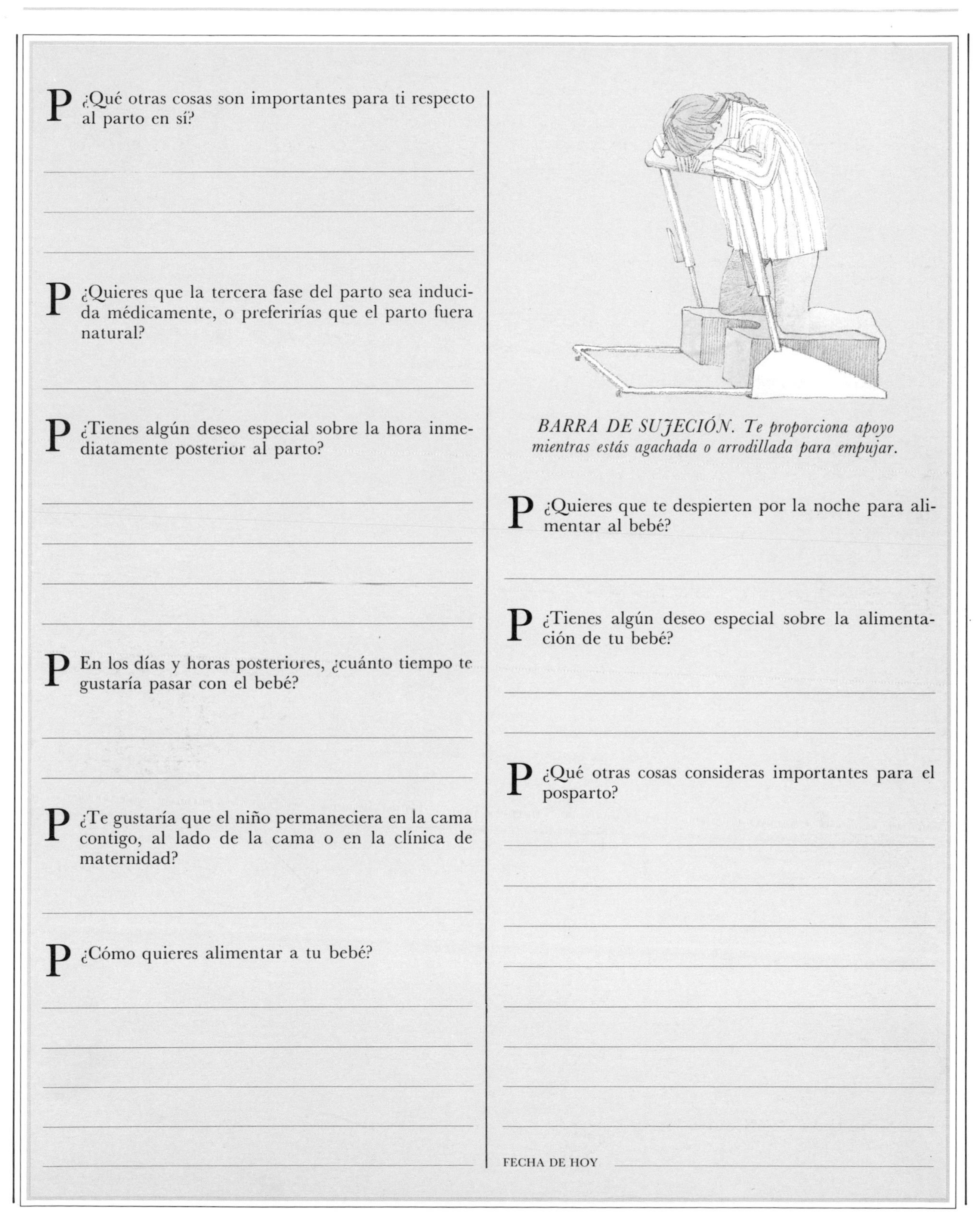

BARRA DE SUJECIÓN. Te proporciona apoyo mientras estás agachada o arrodillada para empujar.

P ¿Quieres que te despierten por la noche para alimentar al bebé?

P ¿Tienes algún deseo especial sobre la alimentación de tu bebé?

P ¿Qué otras cosas consideras importantes para el posparto?

FECHA DE HOY ______________________

Semana 29 *a* 32

TU CORAZÓN TRABAJA AHORA aproximadamente un 25 % más rápido que antes del embarazo, y el volumen sanguíneo ha aumentado en casi tres cuartos (2,5 litros). Debido al aumento de presión que experimentan los vasos sanguíneos de la parte inferior del cuerpo, algunas mujeres sufren hemorroides, o venas varicosas en las piernas o en la vulva. Como el estómago se vacía más lentamente, las comidas pesadas hacen que te sientas hinchada. Puedes observar también un aumento de las secreciones vaginales. Las articulaciones de la pelvis se están debilitando y distendiendo para prepararse para el parto, por lo que sólo te encontrarás a gusto cuando lleves zapatos de tacón bajo. Tu útero se está fortaleciendo progresivamente, preparándose para el parto. A veces está tan duro que te deja sin aliento. Estas fuertes tensiones en la barriga se denominan «contracciones de Braxton Hicks».

Tu cuerpo

- Puedes contribuir al reblandecimiento de los tejidos de la vagina, labios y perineo, y hacerlos más flexibles masajeándolos diariamente con aceite de germen de trigo.
- Los ligamentos de tu pelvis se van distendiendo por acción de las hormonas del embarazo, para que un bebé grande pueda pasar a través de una pelvis relativamente pequeña.
- La distensión de los ligamentos produce a menudo dolores de espalda. Ponerse a gatas puede aliviar el dolor.
- Puedes ensayar la respiración y la relajación con las contracciones de Braxton Hicks una vez que ya sean bastante largas y fuertes.

“Empezaba a estar preocupada por cómo podría arreglárselas mi familia mientras estuviera en el hospital. Entonces me puse a cocinar haciendo raciones dobles de todo, y congelándolas por si acaso el bebé nacía pronto.»

«Le enseñé a John a sentir al bebé. Ahora nos tumbamos juntos en la cama y él puede notar la espalda y los piececitos del bebé.”

COLABORA CON TU CUERPO

P ¿Qué estás haciendo para sentirte físicamente bien?

P ¿Cómo estás preparando tu cuerpo para el parto?

FECHA DE HOY

Semana 29 DIA / MES / AÑO

D
L
M
X
J
V
S

Semana 30 DIA / MES / AÑO

D
L
M
X
J
V
S

Semana 31 DIA / MES / AÑO

D
L
M
X
J
V
S

Semana 32 DIA / MES / AÑO

D
L
M
X
J
V
S

CÓMO ESTÁ CRECIENDO TU BEBÉ

A LAS 32 SEMANAS, la mayoría de los bebés se ha colocado cabeza abajo en el útero. Lo suelen hacer a las 28 semanas, y permanecen así hasta el parto. Otros no, y permanecen con la cabeza hacia arriba en el útero un poco más de tiempo. Un pequeño número de bebés permanecen fijos en esta posición, por lo que nacen de nalgas. La presentación con la cabeza hacia abajo se denomina de «vértex» o «cefálica», y la presentación con la cabeza hacia arriba se denomina «de nalgas». Las ilustraciones de las páginas 76 y 77 muestran a un bebé colocado de nalgas. En las páginas 98 y 99 aparecen bebés en presentación de vértex y de nalgas.

Si el niño es pequeño y le queda mucho espacio en el útero, aún podrá cambiar de posición de nalgas a de cabeza durante unas semanas más. A veces, cuando el bebé no se fija cabeza abajo, es un signo de que tu embarazo no está tan avanzado como creías.

Tu bebé está situado cabeza abajo si sus pies dan patadas contra las costillas, en cuyo caso puede balancear la cabeza contra los músculos de la base de tu pelvis, al principio suavemente, y después, con mayor fuerza.

¿Sabías que...?

- Si tu bebé viene de nalgas, el doctor puede girarlo. O tú misma puedes intentar hacer salir al niño de la pelvis colocándote cabeza abajo, lo que puede animarle a cambiar de posición.
- La forma más fácil es tumbarse sobre una cama o un sofá y apoyar la cabeza y los hombros en el suelo. Debes permanecer así 20 minutos dos o tres veces al día, oyendo música o leyendo revistas para no aburrirte.

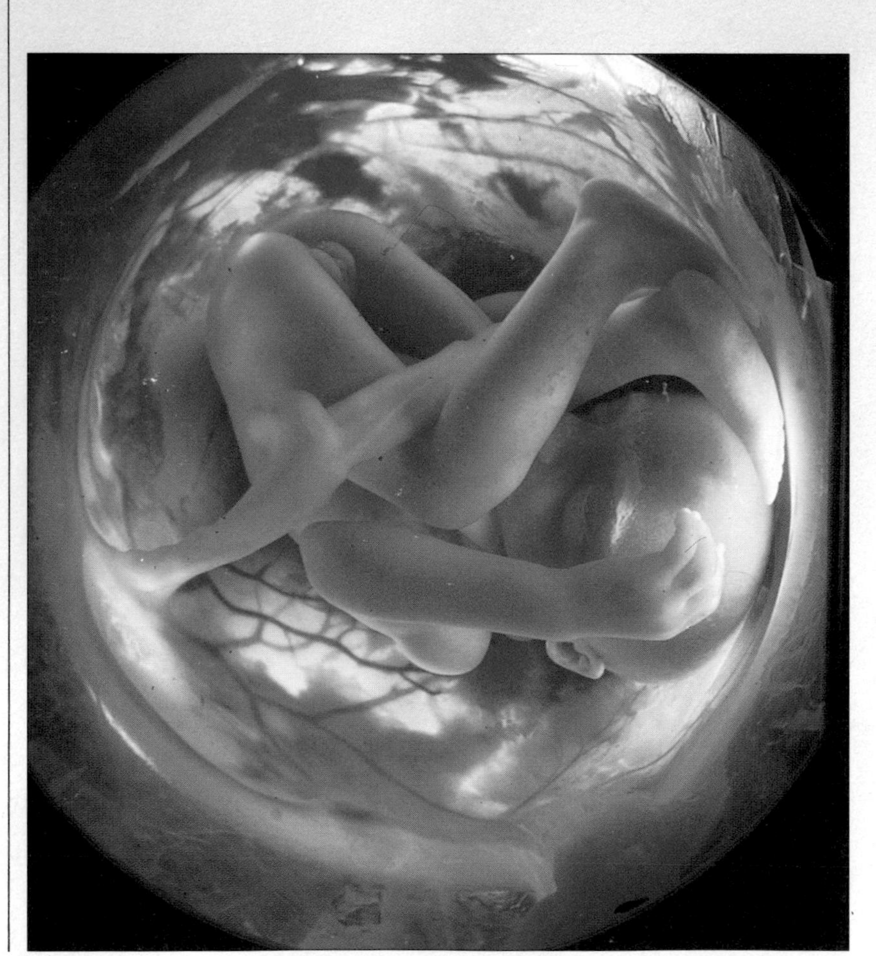

APRENDE A CONOCER A TU BEBÉ. *A medida que el embarazo avanza, vas notando las distintas partes del bebé: sus pies que te dan patadas, su cabeza redonda, su espalda curvada y fuerte y las nalgas redondeadas.*

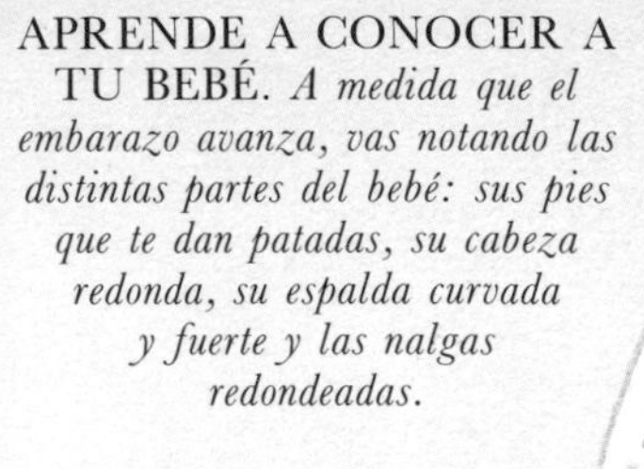

La cabeza del bebé golpea contra la pelvis. Se nota como una pelota redonda.

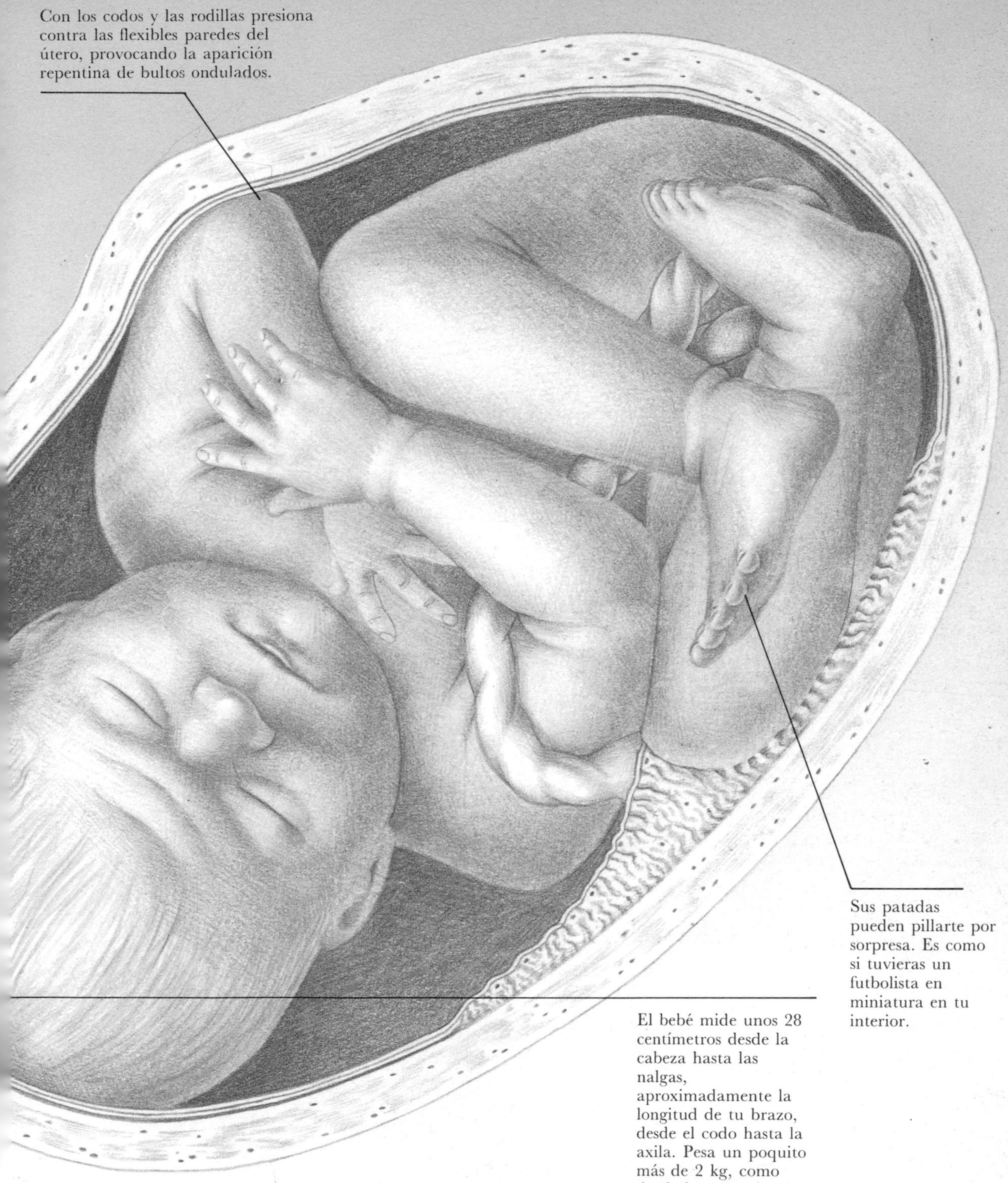

Con los codos y las rodillas presiona contra las flexibles paredes del útero, provocando la aparición repentina de bultos ondulados.

Sus patadas pueden pillarte por sorpresa. Es como si tuvieras un futbolista en miniatura en tu interior.

El bebé mide unos 28 centímetros desde la cabeza hasta las nalgas, aproximadamente la longitud de tu brazo, desde el codo hasta la axila. Pesa un poquito más de 2 kg, como dos bolsas grandes de azúcar.

RITMOS RESPIRATORIOS

CONCENTRARTE EN TU RESPIRACIÓN te ayudará a relajarte. Durante el parto puedes coordinarla con las contracciones del útero, como si estuvieras nadando sobre olas grandes y crecidas. La respiración para el parto no es una cuestión de ejercicio. Dado que la respiración y la relajación son funciones interdependientes, se practican mejor al mismo tiempo.

— RESPIRACIÓN Y RELAJACIÓN —

Para practicar la respiración para el parto, ponte en una posición cómoda, tumbada o sentada, bien apoyada con almohadones, o en los brazos de tu pareja, para poder relajarte completamente. Comienza a respirar con suavidad, lenta y plenamente. Imagínate un aroma agradable. Elige algo que te guste oler. Saboréalo. Nota cómo tu respiración va haciéndose más lenta, cómo se dilatan los orificios nasales y cómo se relaja tu boca y se humedece. Concentra tus pensamientos en la vagina, que debe estar suave y relajada, igual que la respiración. Es la puerta a la vida para tu bebé. Deja que se abra.

PRESIÓN SOBRE LA ESPALDA. *Tu pareja va moviendo las manos mientras tú respiras profundamente.*

— RESPIRACIÓN EN LA PRIMERA FASE DEL PARTO —

Escucha los sonidos de tu respiración, como olas que llegan a la costa. Relájate más, a medida que respiras. Con cada inspiración concentra tus pensamientos en el interior de tu cuerpo, imagina tu cérvix, haciéndose más blando, abriéndose y dilatándose para que tu bebé pueda salir a través de él. Estas imágenes mentales te pueden ayudar durante la primera fase del parto.

— LA APERTURA FINAL DEL CÉRVIX —

Imagínate que ahora tienes una contracción fuerte. Sigue relajada a medida que tu respiración se hace más ligera y más rápida. Después, mientras la contracción desaparece, respira lentamente, haciendo llegar el aire hasta donde tu bebé está esperando para salir. En el intervalo entre contracciones, relájate completamente.

Muchas mujeres notan que la respiración se les acelera en el momento máximo de la contracción, al final de la primera fase. Si esto te sucede, deja que tu respiración sea rápida, pero superficial. Recibe cada contracción con una inspiración lenta y profunda, mantén las inspiraciones rápidas y en silencio y vuelve siempre a la respiración lenta y profunda, a medida que la contracción cede.

Respiración para el parto

- Si tu respiración se vuelve más rápida a medida que las contracciones se intensifican, procura que sea más ligera. Deja que «baile».
- Al principio de cada contracción, realiza una espiración larga y lenta, la espiración de bienvenida.
- Cuando desaparezca una contracción, realiza una espiración lenta y prolongada.
- Si notas que te estás quedando sin respiración, deja caer los hombros y realiza unas cuantas inspiraciones y espiraciones.
- También puedes optar por cantar, susurrar, o gritar. Todo esto sirve de alivio, especialmente si son sonidos graves en lugar de agudos.

«Antes de estar embarazada no me podía relajar y pensaba que era una pérdida de tiempo. Ahora me gusta mucho. A veces también canto y hablo con el bebé. Me parece que en lugar de hacer una respiración especial durante el parto, me sentiré mejor cantando y gimiendo, y mi comadrona me dice que está muy bien.»

«John me da unos maravillosos masajes en los pies. Cuando me pongo nerviosa respiro demasiado rápido. Pero cuando me masajean los pies, respiro más suavemente.»

— RESPIRACIÓN PARA EMPUJAR —

Ahora inspira hondo y contén la respiración cuatro o cinco segundos, y comprueba si puedes permanecer relajada. Notarás presión en el interior de tu cuerpo, pero mantén los hombros extendidos y sueltos, los labios ligeramente separados y las mandíbulas sueltas, las piernas y los brazos relajados. Expulsa el aire. Respira con suavidad unos momentos y a continuación vuelve a contener la respiración, manteniéndote relajada y suelta, imaginándote cómo se distiende tu vagina según la cabeza pasa a través de ellos.

— CÓMO AYUDA LA RESPIRACIÓN A TU BEBÉ —

Un buen aporte de oxígeno es vital para el bienestar de tu bebé. El oxígeno es transportado en la sangre que fluye a través de la placenta hasta el cordón umbilical. Si te pones muy tensa, la sangre se dirige al cerebro, al corazón y a los músculos de los brazos y las piernas, y se reduce el aporte a la placenta. Por tanto, el bebé puede recibir menos oxígeno durante un rato. En algunos casos, esto parece ser la causa de ciertos trastornos de los patrones del sueño en los días posteriores al nacimiento, y también produce irritabilidad y molestias en el bebé. Aprender a relajarse y a controlar el estrés es una forma de calmar a tu bebé mientras se encuentra aún en tu útero.

RESPIRANDO PARA LA EXPULSIÓN

El jadeo y la respiración entrecortada por el dolor y el pánico bombean dióxido de carbono a la corriente sanguínea y alteran el equilibrio ácido de la sangre. Cuando la mujer utiliza este patrón respiratorio se marea, nota un cosquilleo en los costados y los labios adormecidos y puede

Contén tu respiración como máximo 6 segundos en cada empujón.

Al salir la cabeza, relaja la mandíbula y expira para expulsar a tú bebé.

incluso desmayarse. Si quieres respirar rápidamente según te acercas a la dilatación completa, intenta que estas respiraciones sean lo menos profundas posible. Cuando empujes, mantén la respiración el tiempo que desees. Cuando la cabeza comienza a salir, no empujes, relaja la mandíbula y *espira* tu bebé al exterior.

«Mis piernas se pusieron tensas y empecé a hiperventilar. Juan empezó a acariciarme con firmeza y lentitud la parte interna de las piernas hacia arriba y hacia abajo.»

«Me arrodillaba y me inclinaba cada vez que tenía una contracción. Cada contracción era como subir a la cima de una montaña y mi respiración se hizo menos profunda y más rápida. Michael comenzó a presionar firmemente en la espalda. Me alivió muchísimo las molestias que sentía con las contracciones, y además me venía muy bien en los períodos entre contracciones porque me dolía mucho la espalda.»

«Era difícil continuar respirando durante esas contracciones, porque en su punto máximo me quedaba sin respiración. Cada vez que perdía el ritmo, buscaba los ojos de Ruth y ella respiraba conmigo y recuperaba el ritmo.»

Los movimientos del bebé

El bebé gira, rueda, se balancea, da patadas, e incluso, tiene hipo en tu interior. Los movimientos que en las primeras semanas notabas como simples caricias, ahora se han convertido en golpes y empujones. El bebé golpea con los pies contra las elásticas paredes del útero. Se vuelve de un lado a otro y tiene sobresaltos. Cuando pierde el pulgar de la boca, gira la cabeza rápidamente de lado a lado, en un movimiento reflejo, buscando algo que succionar. A veces el bebé da unas patadas tan fuertes que te puede hacer sentir dolor bajo las costillas.

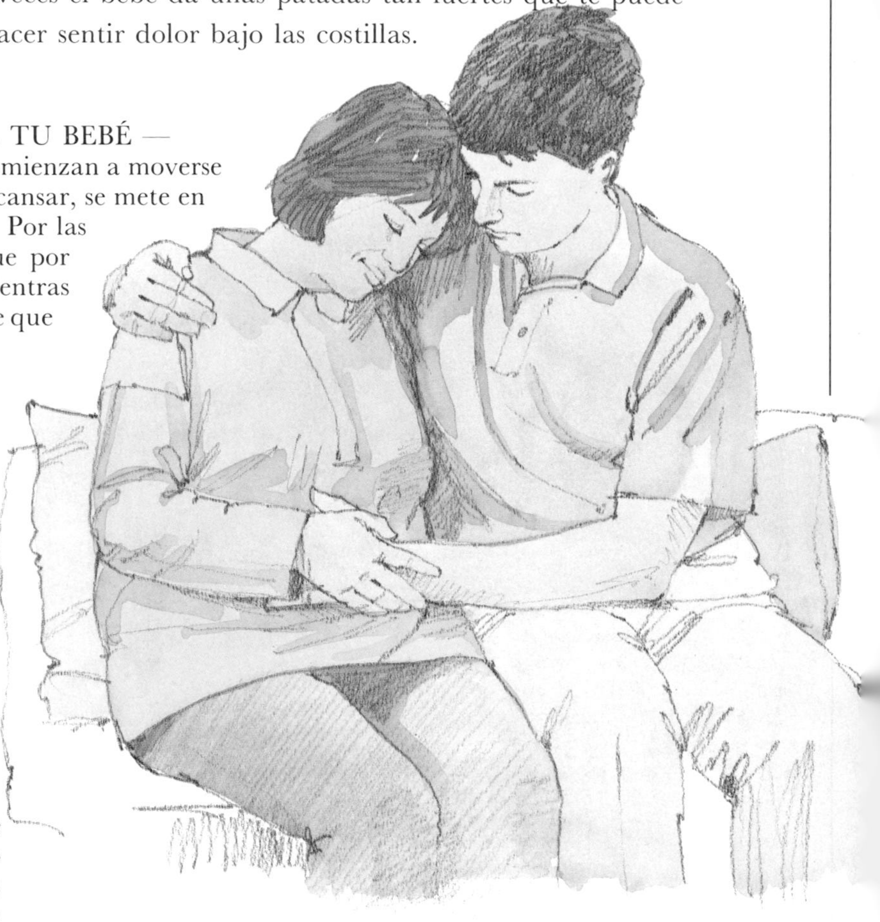

— CÓMO NOTAS A TU BEBÉ —

Muchos bebés cobran actividad y comienzan a moverse cuando la madre se tumba para descansar, se mete en la bañera o se acuesta por la noche. Por las tardes los niños se mueven más que por las mañanas. Si tu bebé es así mientras está en tu interior, no es sorprendente que en las semanas posteriores al parto se muestre muy despierto por la tarde, justo cuando a ti te gustaría sentarte y descansar.

A veces el bebé está menos activo. Si hace calor, el bebé puede parecer cansado y puedes notar que está especialmente quieto después de una comida pesada. Los niños también se mueven menos cuando la madre bebe mucho alcohol o fuma.

— EMOCIONES FUERTES —

Quizás te has dado cuenta de que tu bebé responde también cuando tienes emociones fuertes. Si te sientes asustada, te enfadas o entristeces por algo, tu cuerpo produce hormonas que son transportadas por la sangre y pueden pasar a través de la placenta hasta el bebé. Provocan un aumento del ritmo cardíaco y de los movimientos del bebé. Las mujeres que están sometidas a un fuerte estrés emocional, a veces tienen bebés que se mueven mucho. Pero las emociones fuertes son parte del ser humano. Si notas que el bebé se mueve mucho cuando te encuentras enfadada o estresada, intenta relajarte y respirar lentamente para que tu bebé se tranquilice. De esta forma puedes comunicar tu cariño al bebé y reconfortarle mientras aún está en tu interior. Si te es difícil tomar un descanso, simplemente relájate en el lugar donde estés, respirando lentamente.

RESPUESTA A LA MÚSICA

A veces, justo cuando te gustaría sentir la vida que llevas en tu interior, los movimientos cesan. Observa lo que sucede cuando tú y tu pareja cantáis para el bebé o le ponéis música. Los bebés pueden mostrar sus preferencias musicales. Algunos responden a las marchas militares, mientras que a otros les gusta la música de rock o los conciertos de violín.

«Cuando me tumbo sobre la espalda, siempre empieza a moverse y me hace sentir incómoda. Parece que no le guste, por lo que me tengo que poner de lado. A mí normalmente también me resulta más cómodo.»

«Noto una especie de toc-toc y no estoy muy segura de lo que pueda ser. Es bastante distinto de las patadas normales. Es como si estuviera llamando porque quisiera salir.»

«El bebé está ahora muy abajo y a veces noto como si su pelo me hiciera cosquillas en la vagina. A menudo siento una sensación muy aguda, como un ligero electroshock. Mi profesor dice que el bebé está moviendo su cabeza contra los músculos de la pelvis e intentando una buena posición para el parto.»

«El bebé está colocado con su columna vertebral contra la mía, por lo que noto casi todas las patadas en la parte delantera. Al principio creía que serían gemelos porque se movía muchísimo, pero cuando mi comadrona me explicó que había un gran hueco alrededor del ombligo, el espacio comprendido entre las piernas y los brazos, comprendí que el bebé está colocado de forma posterior. Con la cantidad de actividad y energía que estoy notando, estoy segura de que el bebé se dará la vuelta en el momento del parto.»

— REACCIÓN A LOS SONIDOS —

Si asistes a un concierto o estás escuchando música en casa, o se oyen cohetes o, simplemente tus hijos mayores están armando mucho ruido, el bebé puede responder moviéndose mucho, como si estuviera excitado por el sonido. Los bebés no están completamente aislados del mundo exterior y comienzan a ser miembros de la familia antes de nacer.

— CÓMO SIENTES SUS MOVIMIENTOS —

Tu comadrona y tu médico se mostrarán interesados en la actividad de tu bebé y te preguntarán cómo se mueve cuando les visites. A veces, al final del embarazo ya no se notan tanto las patadas del bebé porque ya no le queda bastante espacio para moverse, y porque se han convertido hasta tal punto en una parte de ti, que has dejado de notarlas. Una vez que el niño ha nacido, quizás eches de menos estos movimientos y te sientas un poco sola sin ellos.

CÓMO SE MUEVE EL BEBÉ

P ¿En qué momento del día o de la noche notas que se mueve más el bebé?

____

____

P ¿Cómo describirías los distintos tipos de movimientos del bebé?

____

____

P ¿Cuándo permanece quieto el bebé?

____

____

____

____

____

____

FECHA DE HOY ______________________________

TENSIÓN ARTERIAL

NORMALMENTE LA TENSIÓN ARTERIAL SE ELEVA ligeramente al final del embarazo, debido al aumento de las demandas de tu metabolismo. Esto no resulta dañino para ti ni para el bebé. La tensión arterial elevada, la hipertensión, no es una enfermedad, sino un signo de que alguna parte del cuerpo no funciona como es debido. Durante el embarazo puede significar que la placenta no está funcionando todo lo eficazmente que debiera. Tu médico querrá verte más a menudo y puede sugerirte que descanses más.

— QUÉ HACER EN CASO DE TENSIÓN ARTERIAL ELEVADA —

La tensión arterial disminuye de forma natural si aprendes a evitar el estrés. Túmbate en la cama y relájate. Practica los ejercicios de relajación profunda y lenta. Imagínate al bebé cómodamente instalado en tu interior. Pídele a alquien que te haga la compra y, si es posible, échate la siesta todas las tardes.

— HIPERTENSIÓN Y PREECLAMPSIA —

Si tu tensión arterial es elevada o si se produce un marcado aumento en la segunda parte del embarazo, a veces será necesario ingresar en el hospital para encontrar reposo, o bien tu médico y comadrona tendrán que controlarte muy atentamente en casa, aunque probablemente te encontrarás perfectamente bien. Si aparece un problema llamado preeclampsia, en el que la tensión arterial se eleva aún más, aparecerán proteínas en la orina, edema cutáneo debido a la retención de líquidos y un aumento repentino de peso. En este caso ingresarás en el hospital para conseguir un mayor descanso y te administrarán medicamentos para reducir la tensión arterial. A veces estos medicamentos producen sedación como efecto secundario. El parto podría ser provocado mientras el bebé se encontrara en buen estado. Si la preeclampsia se agudiza, será necesario realizar una cesárea (*véase* página 111).

RELAJACIÓN DEL CUERPO Y DE LA MENTE

El descanso puede hacer descender la tensión arterial elevada. La música te puede ayudar a relajarte, y a veces es más fácil eliminar las tensiones si estás haciendo algo con las manos. También puedes imaginarte una escena apacible, un bosque o una playa de coral y pensar que estás tumbada sobre la suave hierba o sobre la arena, mientras escuchas el canto de los pájaros o el ruido de las olas.

“Los médicos creen que mi pequeña nació muerta debido a una preeclampsia aguda. El parto fue provocado y tenía un aspecto perfecto. No puedo entender cómo es posible que yo me encontrará tan bien.»

«Odio ir al hospital cada vez que me sube la tensión. Todos me dicen que tengo que descansar más. Me gustaría verles descansando teniendo que cuidar de dos niños menores de cuatro años.”

Preeclampsia

El riesgo de sufrir preeclampsia disminuye si:

- Ya tienes un hijo de la misma pareja.
- Nadie de tu familia tiene la tensión elevada.
- No has tenido la tensión alta en embarazos previos.
- No sufres migrañas.

NIÑOS PREMATUROS

LOS AVANCES QUE SE HAN PRODUCIDO EN LA TECNOLOGÍA y en la práctica médica han hecho posible que los bebés que nacen a las 24 semanas puedan sobrevivir. Pero la lucha por su supervivencia y para mantener su salud es una experiencia muy dura para todas las personas que la viven. A las 26 semanas un bebé tiene un 50 por 100 de posibilidades de supervivencia y un 75 por 100 de posibilidades de ser completamente sano si sobrevive. Los bebés que superan esta fase, a menudo tienen problemas respiratorios posteriormente y tardan en aprender a succionar.

— LAS UNIDADES DE CUIDADOS INTENSIVOS INFANTILES —

En las unidades de cuidados intensivos infantiles se escuchan los sonidos de los monitores, las alarmas, hay flashes de luz y los bebés están rodeados de tubos que se les introducen por la nariz y la boca. Lo que ves son sistemas de soporte artificial de la vida, diseñados para reemplazar las funciones del cuerpo y la placenta de la madre.

— EL CUIDADO DE TU BEBÉ PREMATURO —

En muchos hospitales modernos puedes pedir que te den una habitación cerca para colaborar en el cuidado de tu bebé. La ventaja es que puedes calmarle después de tratamientos dolorosos, cantarle y acariciarle, y cuando se le pueda sacar de la incubadora, acunarlo y mecerlo. Haciendo esto, le proporcionas los estímulos de cariño y bienestar que marcan el inicio de vuestra relación.

SOY TU MADRE
Puedes demostrarle tu amor incluso cuando el bebé está en una incubadora.

“Parecía una ranita, todo lleno de tubos y conectado a un respirador. Me sentí culpable por no haberle podido mantener dentro de mí.»

«Para ser sincera, no noté nada más que la pena que puedes sentir por un animal herido. Tenía la piel rojiza y brillante, y los ojos cerrados, no parecía humana.»

«El personal de la unidad de cuidados intensivos era maravilloso. Cuando estaba fuera de la incubadora, intentaba ocuparme de ella. Me sentía torpe y no parecía que fuera mi bebé. Hasta que llegamos a casa, no noté que me pertenecía.»

«Mi hermana decía, “cójela en brazos y habla con ella, le ayudará a crecer”. Era tan pequeñita y la estaban alimentando con un tubo. La cogía en brazos contra mi pecho desnudo, y le dejaba oler mis mamas, y empezó a chupar intrigada. Noté que aumentaba la temperatura de mis pechos, y que la leche empezaba a subir y a gotear. Supe entonces que iba a poder alimentarla y que teníamos una relación muy especial. Cinco días más tarde empecé a darle de mamar.”

Semana 33 *a* 36

Al cabo de 36 semanas, te notarás muy pesada. Mientras el bebé esté alto te será difícil respirar profundamente, como si el niño presionara contra el diafragma y las costillas. Estas molestias desaparecen cuando, en un momento dado, la cabeza del bebé se encaja en la pelvis. A partir de entonces, la cabeza queda apoyada sobre la vejiga, por lo que tendrás que orinar con más frecuencia. Si te tumbas sobre la espalda, puede que sientas náuseas y mareos, porque el pesado útero presiona sobre un vaso sanguíneo grande y reduce el flujo de sangre al corazón. Es mejor tumbarte de lado o estar incorporada. Empieza a dormir siestas cortas en lugar de estar muchas horas durmiendo, en preparación para cuando nazca el niño.

Tu cuerpo

- Puede aparecerte una línea oscura desde el ombligo hacia abajo, en donde se distiende la tripa. Cuando el músculo se cierre otra vez tras el parto, y los músculos recuperen el tono, desaparece.
- De tus mamas puede empezar a gotear calostro, el primer tipo de leche, especialmente rico en proteínas.
- Es normal retener algo de líquido bajo la piel y tener los tobillos ligeramente hinchados, especialmente si hace calor. Si estás muy hinchada, habla con tu médico o comadrona.

“Ahora estoy impaciente. Una parte de mí desea que el bebé llegue cuando antes, pero reconozco que es una postura egoísta porque sus pulmones quizás no estén lo bastante maduros para que pueda respirar por sí mismo. He comenzado una manta de colores para ver cuántos cuadrados puedo hacer antes del nacimiento.”

MANTENTE EN CONTACTO

P ¿Has planeado mantenerte en contacto con la gente que has conocido en las clases de preparación para el parto, después del nacimiento del niño? Si es así, apunta sus nombres aquí, sus direcciones y teléfonos.

FECHA DE HOY

Semana 33

DIA / MES / AÑO

D
L
M
X
J
V
S

Semana 34

DIA / MES / AÑO

D
L
M
X
J
V
S

Semana 35

DIA / MES / AÑO

D
L
M
X
J
V
S

Semana 36

DIA / MES / AÑO

D
L
M
X
J
V
S

CÓMO ESTÁ CRECIENDO TU BEBÉ

A LAS 36 SEMANAS, el bebé está prácticamente preparado para nacer, pero aún tiene que recubrirse un poco de grasa para asegurarse un sistema eficaz de regulación del calor y el frío, una vez se halle fuera del medio cerrado que constituye el útero.

El bebé se mueve, parpadea, orina, traga líquido amniótico y tiene hipo. Sus músculos son fuertes, como podrás notar por las fuertes patadas y movimientos de sus brazos y piernas. Si nace en este momento, el bebé tiene grandes posibilidades de supervivencia.

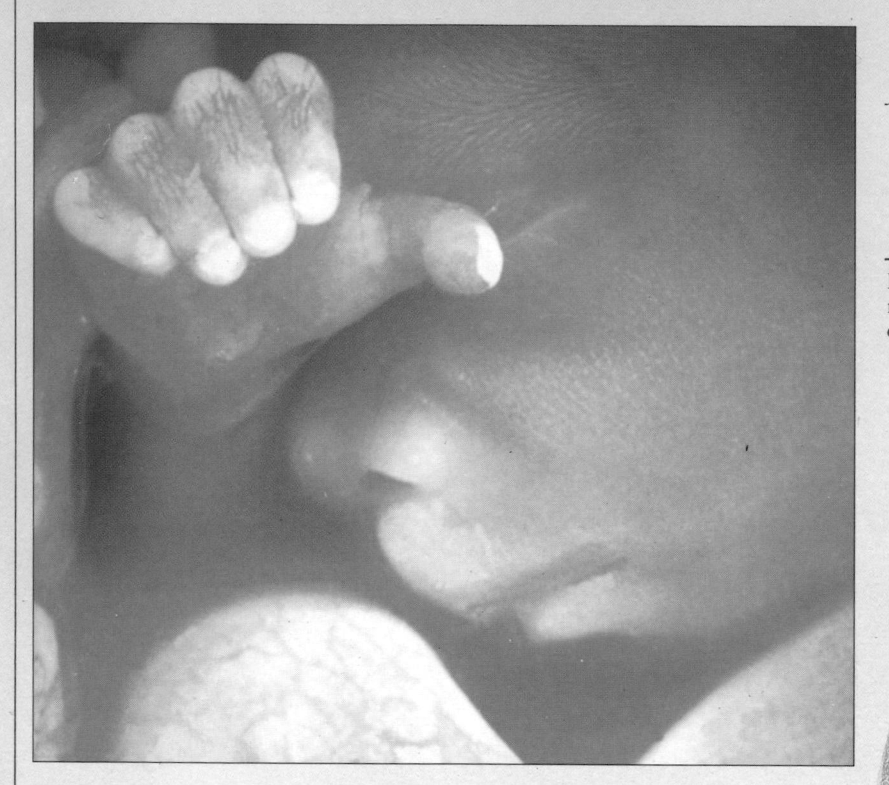

PELUSA. *El cuerpo del bebé puede estar recubierto por lanugo, un vello fino y suave, que normalmente cae después del parto.*

El cuerpo es ahora regordete y cada día se depositan bajo la piel unos 14 g de grasa.

El pelo de la cabeza puede tener una longitud de hasta 5 cm.

¿Sabías que...?

- El bebé mide casi 45 cm de largo de la cabeza a los pies y pesa unos 3 kg. Los varones pueden pesar un poco más. De ahora en adelante, el ritmo de crecimiento es mucho más lento, pero es normal: si el bebé continuara creciendo al mismo ritmo que el feto, pesaría unos 90 kg el día de su primer cumpleaños.

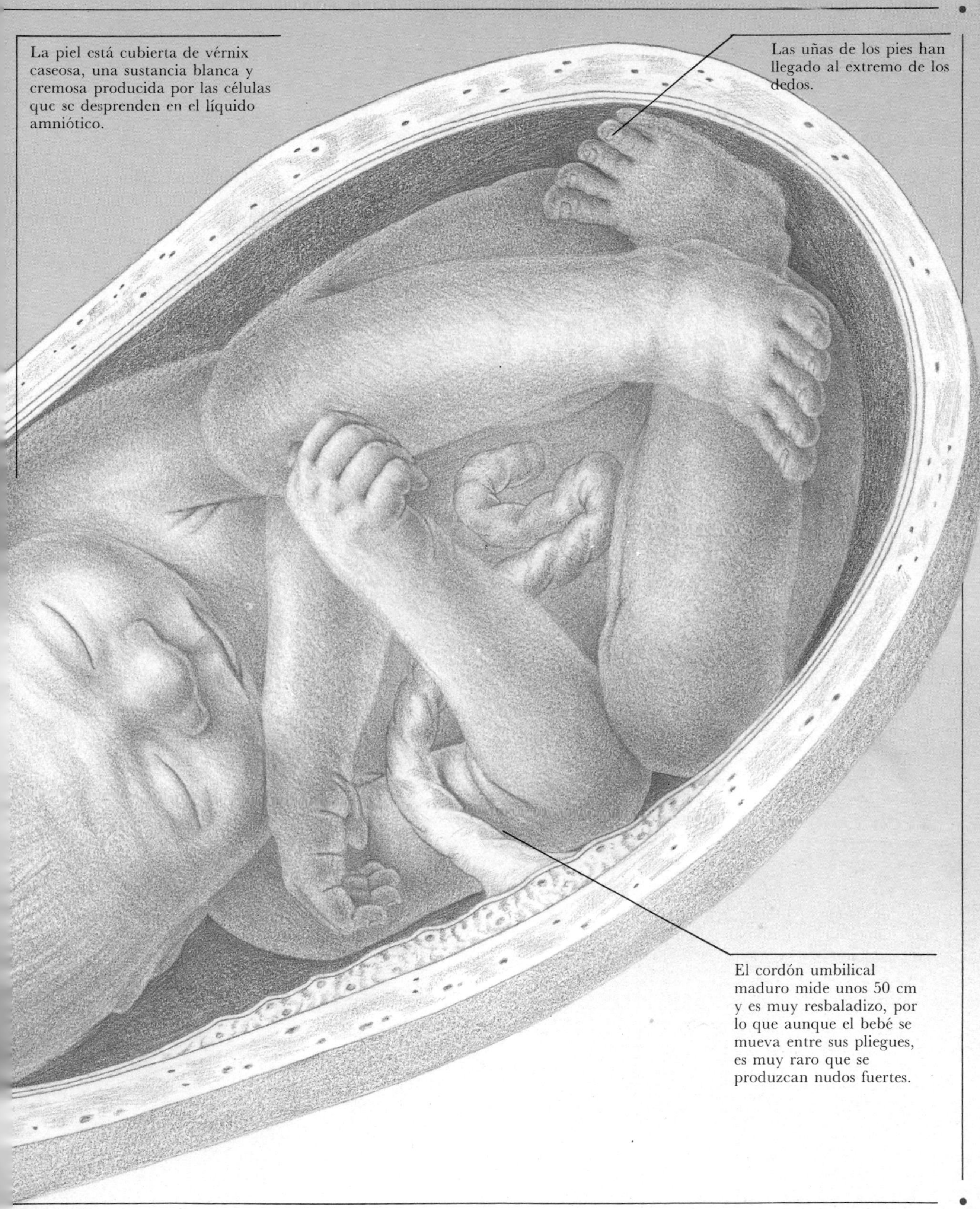
La piel está cubierta de vérnix caseosa, una sustancia blanca y cremosa producida por las células que se desprenden en el líquido amniótico.
Las uñas de los pies han llegado al extremo de los dedos.
El cordón umbilical maduro mide unos 50 cm y es muy resbaladizo, por lo que aunque el bebé se mueva entre sus pliegues, es muy raro que se produzcan nudos fuertes.

CÓMO ESTÁ COLOCADO TU BEBÉ

LA POSICIÓN CABEZA ABAJO es la mejor para el parto. Los bebés se colocan hacia abajo durante las últimas semanas del embarazo, ya que la cabeza es la parte más pesada. Ahora la mayoría de los bebés se hallan de lado, con una oreja junto a la pared del abdomen de la madre. Podrás notar las patadas en el lado opuesto a la espalda del bebé. Las piernas y las rodillas sobresalen en tu abdomen como los muelles de un colchón antiguo y se mueven cuando las aprietas si el bebé está despierto. Las nalgas se notan puntiagudas, como un codo doblado. A veces se nota la firme curva de la espalda del bebé.

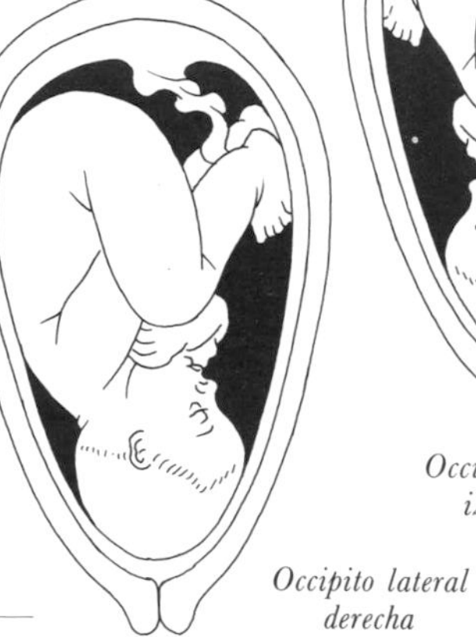

Occipito lateral derecha

Occipito lateral izquierda

— CAMBIOS EN TU OMBLIGO —

Cuando el bebé se mueve, la forma del abdomen y del ombligo se modifica. Si está colocado sobre un lado o en una posición anterior (ver abajo y a la derecha), notarás que la espalda o el codo del bebé hacen que tu ombligo sobresalga. En algunas mujeres esta zona es muy sensible al tacto. Si el bebé se halla en presentación posterior (*véase* página 99), el ombligo puede aparecer hundido, debido al espacio existente entre las piernas y los brazos del bebé.

— PRESENTACIONES LATERAL Y OCCIPITO ANTERIOR —

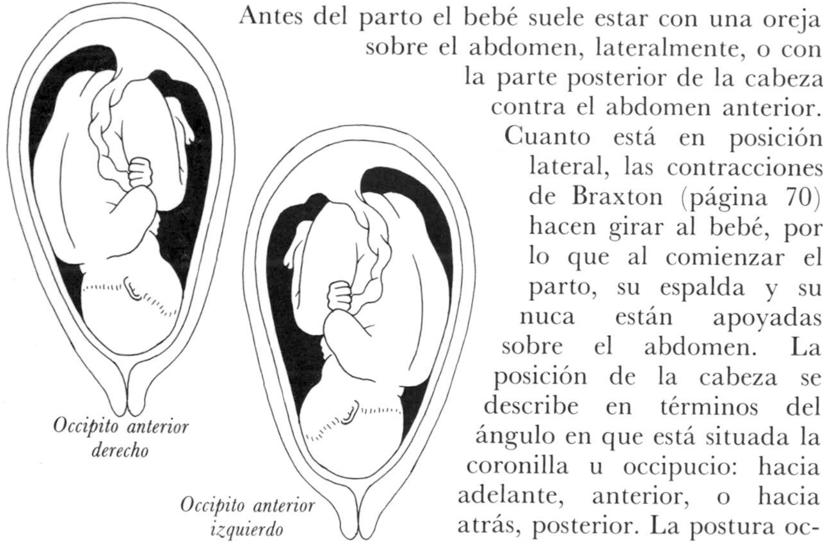

Occipito anterior derecho

Occipito anterior izquierdo

Antes del parto el bebé suele estar con una oreja sobre el abdomen, lateralmente, o con la parte posterior de la cabeza contra el abdomen anterior. Cuanto está en posición lateral, las contracciones de Braxton (página 70) hacen girar al bebé, por lo que al comienzar el parto, su espalda y su nuca están apoyadas sobre el abdomen. La posición de la cabeza se describe en términos del ángulo en que está situada la coronilla u occipucio: hacia adelante, anterior, o hacia atrás, posterior. La postura occipital izquierda significa que la coronilla está a la izquierda, y la anterior derecha que está a la derecha. Estas son las posiciones más fáciles para el parto. La coronilla encaja en el cérvix, la columna vertebral hacia adelante, los brazos y las piernas doblados y el bebé recogido. La cabeza es como un balón y el cuerpo como una pelota. El cuello permite que giren para adaptarse a la curva del canal del parto.

Dolor de espalda

El dolor de espalda es habitual en el parto, especialmente si el bebé está en posición posterior. Puedes:

- Evitar tumbarte sobre la espalda. Adopta posturas en las que desplaces de tu columna el peso del bebé: colócate a gatas, de rodillas o inclinada hacia adelante. Unos almohadones grandes te ayudarán a estar mejor.
- En el punto donde la pelvis se une con la columna vertebral, pide que alguien presione firmemente con las manos, te pongan un paño caliente o una botella de agua caliente.
- Consigue que te hagan un masaje profundo y lento en este mismo punto.
- Colocada de rodillas, de pie contra una pared o en los brazos de tu pareja, balancea la pelvis. Si estás muy cansada, túmbate de lado.

— OTRAS PRESENTACIONES —

Cuando la presentación es occípito-posterior, su columna se apoya contra tu espalda, por lo que no es tan flexible para adaptarse a la curva del canal del parto. La cabeza puede no estar doblada sobre el pecho. Durante el parto notarás la parte dura de la cabeza del bebé que presiona contra tu columna y te produce dolor de espalda. En la mayoría de los casos se giran a una presentación anterior, antes de nacer, pero lleva bastante tiempo, horas de masaje en la espalda, paciencia y mucho apoyo emocional. Algunos bebés quedan atascados en estas posiciones y se les tiene que ayudar con fórceps o con ventosas (*véase* página 110).

Los bebés que se hallen colocados cabeza arriba nacerán probablemente de nalgas. A menos que sea pequeño y se le pueda girar, será necesario una cesárea (*véase* página 111).

Occipito-posterior izquierda

Occipito-posterior derecha

De nalgas flexionada

De nalgas

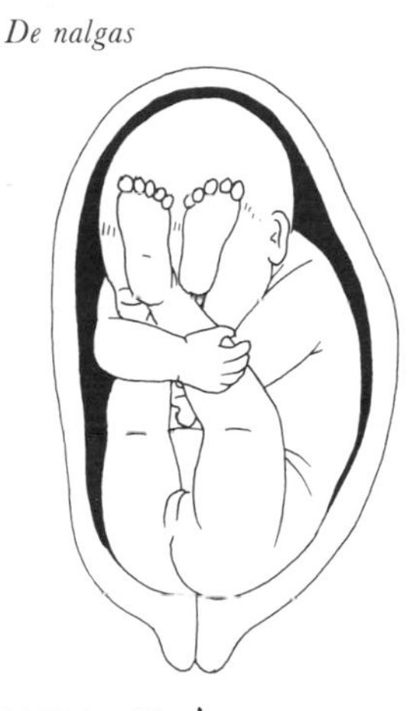

Podálica

"*No me dio tiempo a que me pusieran anestesia epidural, como había planeado, porque fue demasiado rápido. La segunda fase duró dos minutos. Noté algo raro. Toqué con las manos y noté que salía un pie. Enseguida salió el cuerpo y me incorporé para ver cómo salía la cabeza. No me hicieron episiotomía ni me pusieron puntos.*"

DE NALGAS FLEXIONADA. *El bebé se halla sentado con las nalgas sobre el cérvix, las rodillas sobre el estómago y a veces con las piernas cruzadas.*

FRANCA DE NALGAS. *Es el tipo de nalgas más habitual. Las piernas están rectas, los pies a veces están tocando las orejas. Durante unos días después del parto, las piernas se girarán hacia atrás en esta presentación.*

DE NALGAS PODÁLICA. *Es rara, pero puede suceder, especialmente con bebés pequeños. Uno o ambos pies están colocados justo encima del cérvix.*

TRAZA EL CONTORNO DE TU BEBÉ

P ¿En qué distintas posiciones se coloca tu bebé en esta fase del embarazo?

____

____

P ¿Puedes notar los pies, rodillas, nalgas o la columna del bebé?

____

____

____

FECHA DE HOY ______________________________

LA ALIMENTACIÓN DE TU BEBÉ

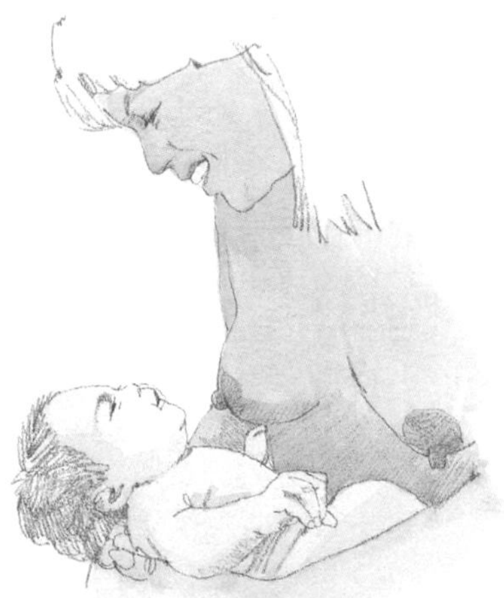

ESTRECHANDO VÍNCULOS. *La lactancia os ayudará a conoceros el uno al otro.*

LA LECHE MATERNA es el alimento mejor y más natural para los bebés. En su forma inicial, el calostro, es un alimento concentrado especialmente rico en proteínas que protege al bebé de infecciones. Por este motivo tanto si decides amamantar al bebé o utilizar leche artificial, probablemente querrás comenzar dándole leche materna.

— CÓMO EMPEZAR —

Algunos bebés van directos a las mamas como los patos al agua. A otros hay que animarles y enseñarles a mamar. Esto suecede también con otros cachorros. La mamá gato ayuda a los gatitos a los que les cuesta coger el pecho, y les guía hacia la fuente de alimento. Por tanto si al niño le cuesta aprender a mamar, no debe preocuparte ni hacerte dudar sobre tu capacidad para ser una buena madre.

AGARRARSE AL PECHO

El reflejo de succión es muy fuerte después del parto, por lo que el momento ideal para iniciar en la lactancia es una hora y media después del nacimiento. No obstante, el bebé puede estar soñoliento y no interesarse por el alimento. Comienza colocándote en una posición cómoda que te permita tener cerca de ti al bebé, para que pueda oler, tocar y chupar tu piel.

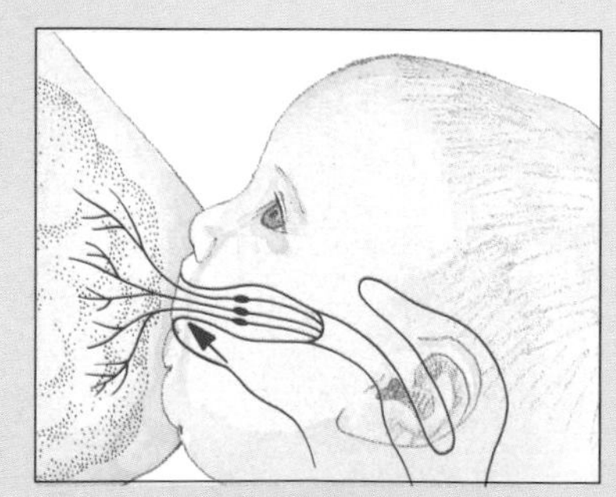

El bebé coge la mama haciendo mucha fuerza con las mandíbulas...

A continuación «anímale» tocándole las mejillas con tus pezones

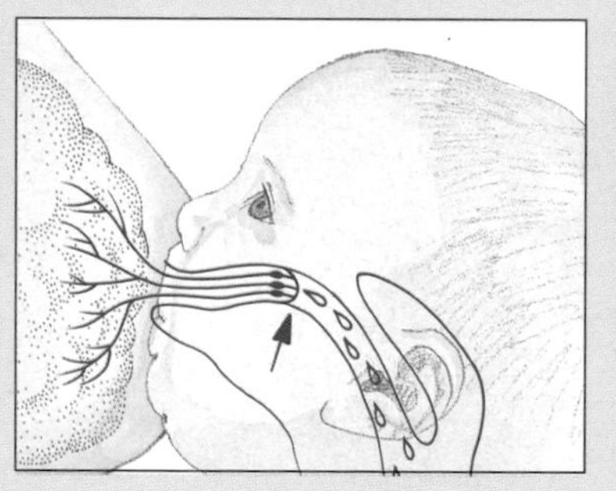

Con la boca presiona el pezón hacia el techo de su boca...

Verás que se excita y empieza a girar la cabeza de un lado a otro, abre mucho la boca, e intenta coger el pecho. El bebé debe tomar el pecho con toda la areola dentro de la boca para que tenga la boca llena. La leche solamente sale cuando el bebé aprieta las glándulas mamarias que se encuentran en el interior de las mamas. Verás como se esfuerza con los músculos de las mandíbulas. Aunque tengas los pezones hacia dentro, el niño puede conseguir buena cantidad de leche. Siempre que pueda coger el pecho con la boca, el bebé amoldará el pezón a la forma adecuada. Si las mamas están demasiado duras y llenas, extrae un poco de leche antes de darle de mamar para ablandarlas. Tu comadrona te enseñará a hacerlo.

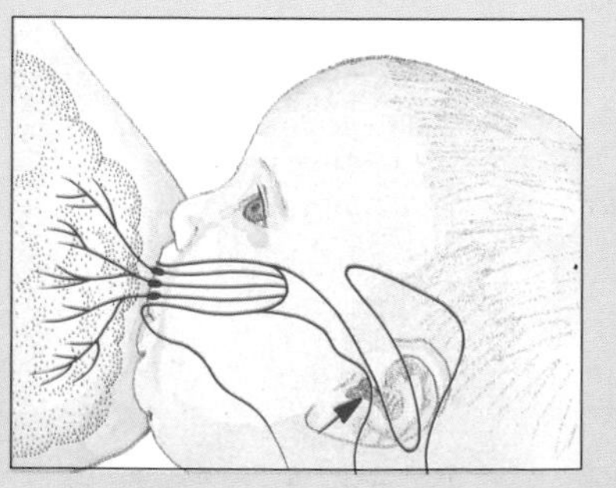

La leche entra en su boca y la va tragando.

— ESTANDO JUNTOS —

Permanecer con el bebé todo el día, a todas horas, os ayuda a ambos a adaptaros el uno al otro como si de un baile se tratara. Alimenta al bebé siempre que lo desee y durante el tiempo que te lo pida. Esto no hace que los pezones se inflamen. La inflamación de los pezones se debe a que el niño no coge bien el pecho.

— ¿CUÁNTO RATO EN CADA LADO? —

Deja que tu bebé mame todo el rato que desee en cada lado, y a continuación apóyale en uno de tus hombros o sujétale en posición erguida, inclinándolo un poco hacia delante en tu regazo, y dale unas suaves palmaditas en la espalda para que expulse el aire. Cuando veas que está preparado para seguir mamando, ponle en la otra mama y probablemente comerá hasta dormir. A veces el bebé consigue suficiente leche de la primera mama. Para que el bebé obtenga la cremosa leche que aparece cuando las mamas se vacían, es importante que mame bien, y durante bastante rato como mínimo en un lado.

LACTANCIA FÁCIL

Necesitarás un sujetador de lactancia pero podrás seguir usando ropa normal como camisetas y suéters.

«Era un bebé que siempre estaba hambriento. Se me inflamaron los pezones y me apareció una mancha rojiza e inflamada en la mama derecha. Llamé al médico y él me explico que estaba produciendo leche pero que no podía salir de las mamas porque el bebé no se agarraba bien. Le colocaba tumbado, de forma que tenía que girar el cuello y doblar la cabeza. Me enseñó cómo tenía que sujetar al bebé con las piernas debajo de mis brazos, y sujetando la cabeza con la mano. El bebé comenzó a mamar de maravilla, y a alimentarse satisfactoriamente.»

«Cuando doy de mamar a mi hijo me siento transportada a otro mundo con él.»

«No pude dar a luz de forma natural, y para mí era muy importante darle de mamar. Todo va bien y me ha ayudado a superar la desilusión que sentí en el parto.»

PENSANDO EN LA LACTANCIA

P ¿Qué piensas sobre la lactancia?

____

____

____

____

____

P ¿A quién puedes pedir consejo sobre la lactancia?

____

____

____

____

____

FECHA DE HOY _______________

EL COMPAÑERO DEL PARTO

LA FUNCIÓN DE TU COMPAÑERO PARA EL PARTO es proporcionarte apoyo emocional y centrarse completamente en ti y en tus necesidades. La persona que hayas elegido para compartir esta importante experiencia puede ser el padre de tu hijo, un amigo o familiar, hombre o mujer. Sea quien sea, te podrá ayudar mucho mejor si comprende lo que va a suceder durante el parto y está preparado para ello.

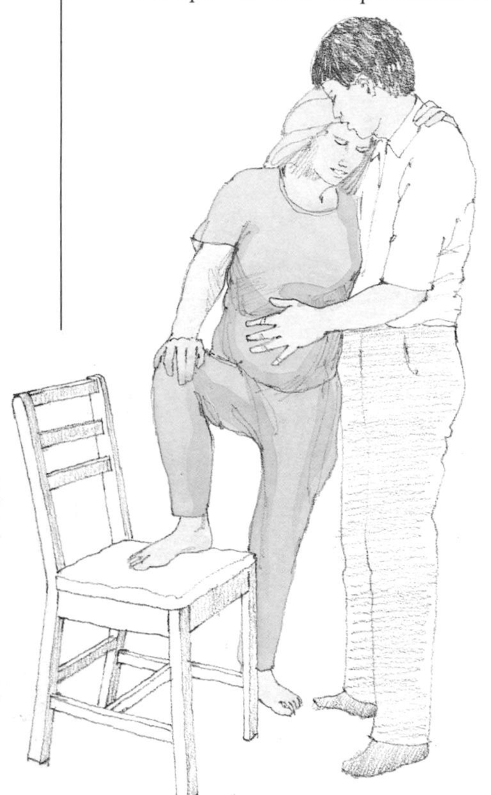

COMPRENSIÓN. *Tu compañero del parto debe conocer tus sentimientos y saber cómo comunicarte apoyo.*

— AYUDA DURANTE LA PRIMERA FASE —

En la primera fase, cuando tu cérvix se está dilatando, quizás empieces a sentirte muy cansada y te cueste relajarte. Para ayudarte, tu compañero puede pasarte una esponja por la cara, respirar contigo durante las contracciones difíciles, darte sorbitos de agua helada, y animarte a coordinar los ritmos de tu cuerpo en cada contracción. Puede ser agradable escuchar música, reducir la intensidad de la luz, o permanecer a oscuras. También resultan muy agradables los masajes, las caricias y los abrazos. Podéis caminar o balancearos juntos. Si tienes dolor de espalda, los masajes y la presión sobre esta zona alivian mucho.

— AYUDA EN LA FASE DE TRANSICIÓN —

En estos momentos, tu pareja debe ser tu ancla en un agitado mar de contracciones. No queda lugar para las dudas y el miedo. En seguida pasarás a la segunda fase, el nacimiento de tu bebé, con renovada energía y emoción.

“Para mí era muy importante que Bill pudiera estar conmigo todo el tiempo, y no dejarme por ningún motivo. Pero nos dijeron que a los padres no les dejan estar allí si se va a hacer un parto por fórceps o una cesárea y a menudo les hacen salir durante las exploraciones vaginales. Pensé que sería incapaz de dar a luz si esto sucedía, por lo que cambiamos de hospital.”

EMPATÍA. *Mientras nos balanceamos juntos, parece que un mismo flujo de energía pase a través de los dos* (arriba).

CENTRO DE ATENCIÓN. *Pide a tu compañero que se concentre completamente en ti.*

— AYUDA DURANTE LA SEGUNDA FASE —

Ahora notarás una necesidad imperiosa de empujar para expulsar al bebé. Hazlo de la forma que te resulte más comoda. Puedes colocarte sentada con tu pareja sujetándote por detrás, o de rodillas. Si el parto está progresando lentamente, colocarse en cuclillas, bien apoyada, o de pie, puede ayudar al bebé a bajar. Las fuertes contracciones requieren toda tu energía, por lo que puedes incluso olvidar que estás teniendo un bebé.

Cuando el bebé comienza a salir, tu compañero puede sugerirte que coloques tus manos sobre la cabeza del bebé. A continuación, corona la cabeza, aparecen la frente y la cara, y la cabeza se desliza hacia fuera. Cuando el resto del cuerpo sale, compartiréis la alegría y la sorpresa del nacimiento de tu hijo.

APOYO. *Deja que tu compañero soporte tu peso* (derecha).

CONFIANZA. *Relájate y comparte el dolor con tu compañero.*

«Lo mejor de todo era que él estaba conmigo. Entraron y salieron otras personas pero él siempre estuvo a mi lado.»

«Mi marido no puede soportar la vista de la sangre y se pone nervioso con las cosas de las mujeres. Pensé que si estuviera conmigo me haría sentir mal. Por otra parte Isabel, mi mejor amiga, es enfermera y quería estar conmigo porque está estudiando para dar clases de preparación para el parto, y sabe cómo animar y apoyarte físicamente. Así que vino conmigo y formamos un gran equipo.»

ENSAYANDO EL PARTO

P ¿Qué estáis practicando tú y tu compañero del parto como preparación para este momento?

____

____

____

____

P ¿Qué es lo más importante que esperas de tu compañero del parto?

____

____

____

____

FECHA DE HOY ______________________________

Semana 37 *a* 40

A PARTIR DE AHORA EMPEZARÁS A ESTAR IRRITABLE y harta de estar embarazada. Es como si fueras a tener el bebé en tu interior para siempre, y además sientes muchas ganas de que todo haya pasado y de poder tener al bebé en tus brazos.

Puedes notar más contracciones de Braxton Hicks (*véase* página 70). Sirven para empujar la cabeza del bebé contra el cérvix para que se dilate más fácilmente. Cada vez que notas una serie de estas contracciones te preguntas si se trata ya del parto. El resultado es que acabas nerviosa, excitada, y llena de energía, el mismo estado que precede al parto.

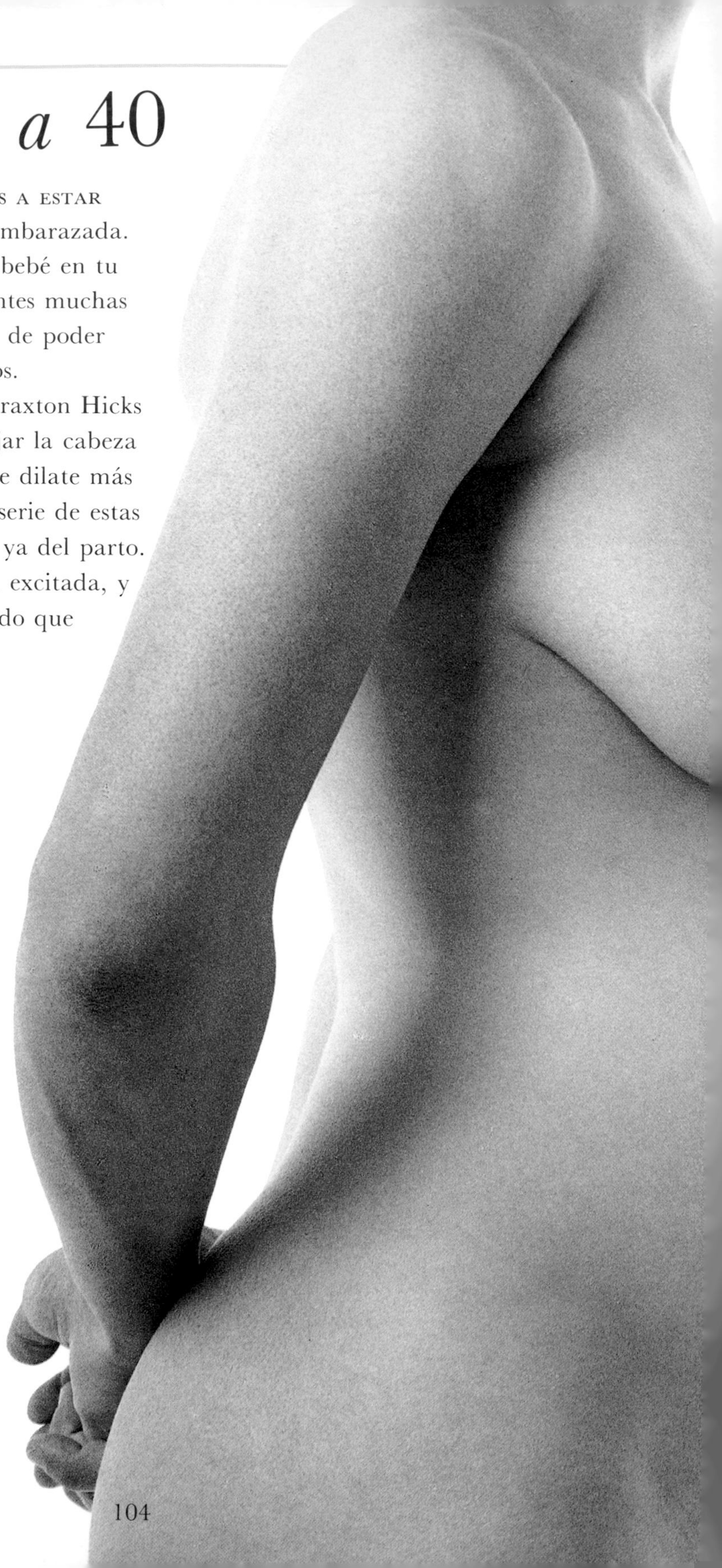

Tu cuerpo

- Puedes tener una ligera diarrea.
- Notas la cabeza del bebé colgando como un coco entre tus piernas y tienes que recordarte que debes apretar las nalgas al caminar.
- Te duele la espalda.
- La parte superior del útero puede estar ahora más abajo porque el bebé se ha colocado en la pelvis y puedes respirar mejor.
- Cuando tu cérvix se empieza a dilatar un poco, aparece una secreción sanguinolenta procedente de la vagina. Puede producirse una semana o más, antes de que realmente comience el parto.

“Me parece como si hubiera estado embarazada durante años. Estoy cansada pero sólo puedo dormir unas cuantas horas seguidas debido a la presión sobre la vejiga. No aguanto más, quiero que el niño salga ya.”

EL PARTO SE APROXIMA

P ¿Cuáles son tus sentimientos cuando piensas en el parto?

P ¿Has tenido alguno de los signos descritos en *«tu cuerpo»* que sugiera que el parto está próximo?

FECHA DE HOY

Semana 37

DIA / MES / AÑO

D
L
M
X
J
V
S

Semana 38

DIA / MES / AÑO

D
L
M
X
J
V
S

Semana 39

DIA / MES / AÑO

D
L
M
X
J
V
S

Semana 40

DIA / MES / AÑO

D
L
M
X
J
V
S

CÓMO ES TU BEBÉ AHORA

A LAS 37 SEMANAS, el sistema nervioso del bebé está madurando para prepararse para el nacimiento. La capa de grasa que ha aparecido bajo la piel es lo bastante gruesa para que el bebé sea capaz de regular su temperatura corporal una vez haya nacido.

El bebé puede encontrarse constreñido en el útero debido a su tamaño, está enrollado como una bola y no puede hacer los movimientos que notabas antes. En lugar de notar cómo gira completamente, notarás fuertes patadas bajo las costillas, a un lado o a otro.

Los pulmones del bebé están recubiertos de una sustancia surfactante similar a las burbujas de espuma. Cuando nace el bebé estas burbujas mantienen los pulmones parcialmente inflados después de cada espiración. Sin ellas, los pulmones podrían colapsar, y sus paredes se pegarían entre sí como las de una bolsa de plástico.

Al nacer todos los sistemas corporales funcionan. El bebé practica movimientos respiratorios, succión, movimientos de deglución, segrega enzimas y hormonas, y tiene una serie de reflejos coordinados que le permiten coger objetos, levantar y girar la cabeza, conseguir leche, hacer movimientos uniformes, parpadear y cerrar los ojos y responder a sonidos, olores, la luz y el tacto.

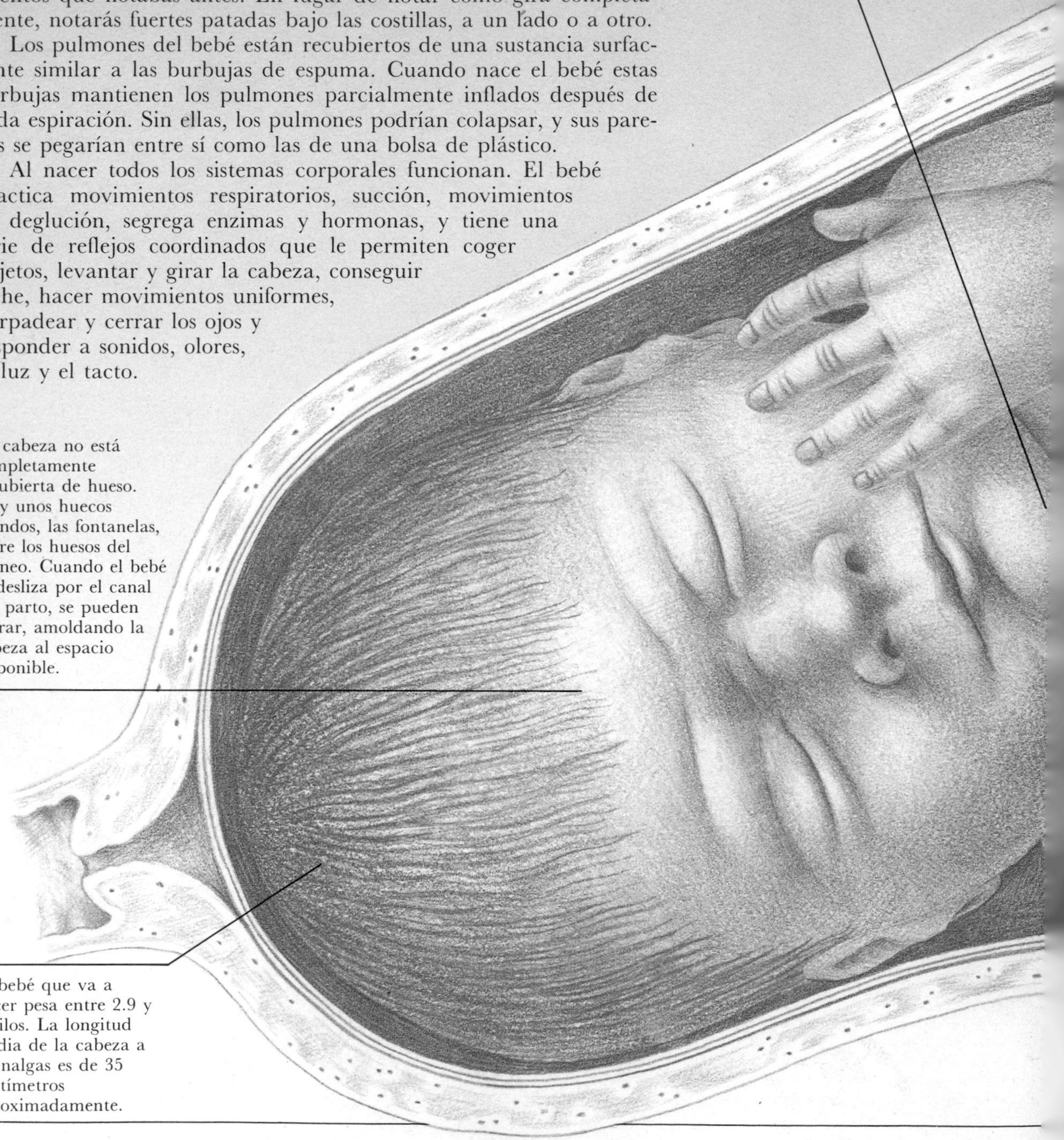

Si la barbilla del bebé está bien inclinada sobre el cuello, la cabeza se adaptará fácilmente a la curva del canal del parto.

La cabeza no está completamente recubierta de hueso. Hay unos huecos blandos, las fontanelas, entre los huesos del cráneo. Cuando el bebé se desliza por el canal del parto, se pueden cerrar, amoldando la cabeza al espacio disponible.

El bebé que va a nacer pesa entre 2.9 y 5 kilos. La longitud media de la cabeza a las nalgas es de 35 centímetros aproximadamente.

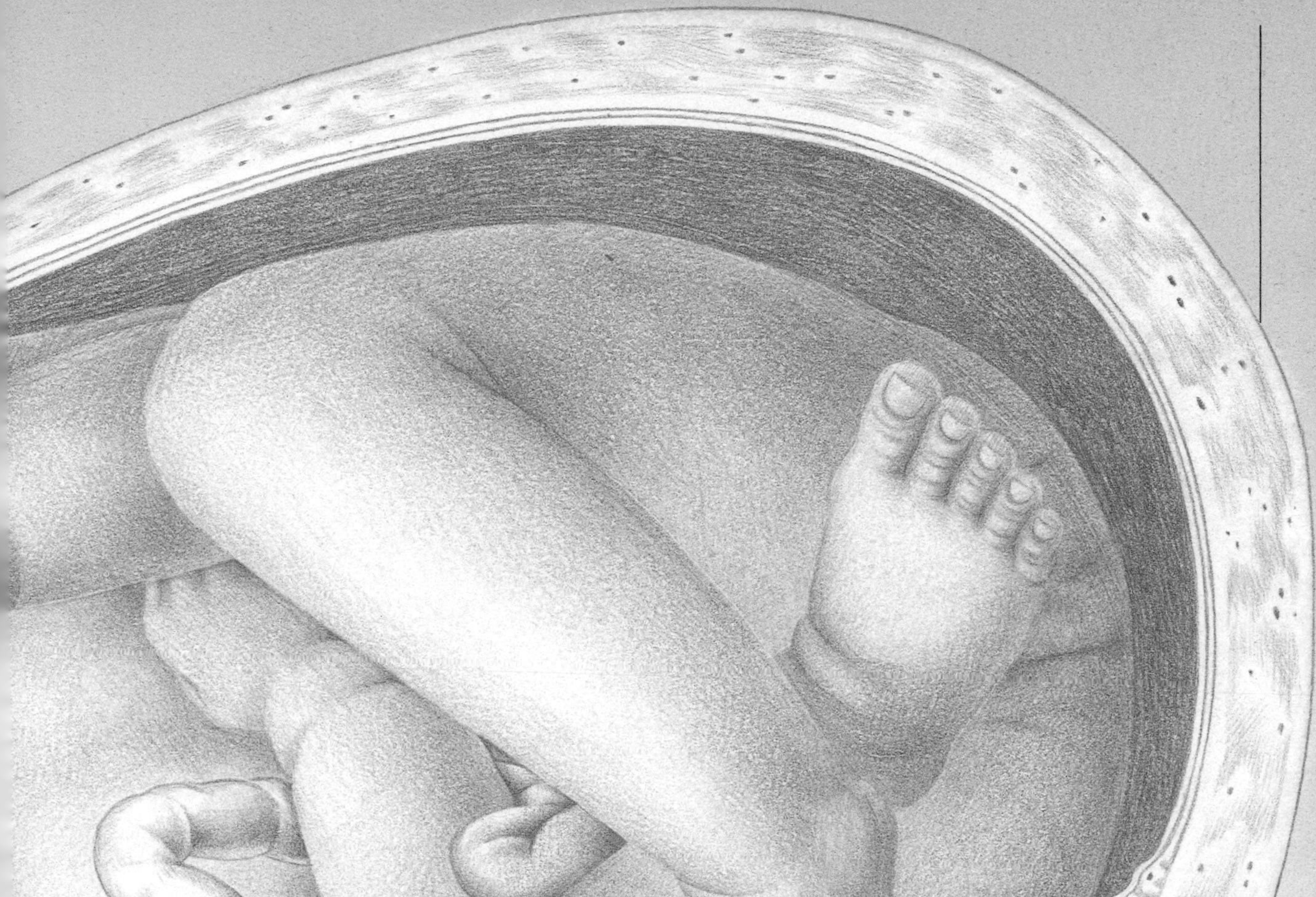

A las 38 semanas la cantidad de líquido amniótico que rodea al bebé es superior a la existente en cualquier otro período del embarazo.

¿Sabías que...?

- El ritmo cardíaco del bebé es aproximadamente dos veces más rápido que el tuyo: de 120 a 160 pulsaciones por minuto.
- Si la pared abdominal no es muy gruesa, tu pareja puede escuchar el sonido del corazón, simplemente colocando la oreja en el lugar adecuado.

EL NACIMIENTO

EL PARTO PUEDE INICIARSE de tres formas distintas: con contracciones similares a períodos prolongados de dolor, con una hemorragia mucosa, o con la ruptura de aguas. Pero esta hemorragia puede aparecer una semana antes de que el parto realmente se inicie, y puedes romper aguas horas antes de que este acontecimiento tenga lugar. Cuando las contracciones sean más regulares, ponte en contacto con tu compañero para el parto si no está contigo en ese momento, y con las personas que cuidarán de tus otros hijos. Comprueba que tienes todo lo que necesitas: aceite para masajes, hielo para chupar y todo lo que puede contribuir a tu bienestar.

«Fue una experiencia increíble. Era tan bonito cuando me miró a los ojos. Tim no podía parar de llorar. Me sentía muy próxima a él.»

«Me lo pusieron sobre el estómago. Sus ojos eran increíblemente brillantes, grandes y abiertos. Noté que lo conocía de hacía mucho tiempo.»

DESPIERTA Y ALERTA. *La comadrona sujeta al bebé mientras la madre se agacha para cogerle.*

— INICIO DE LA PRIMERA FASE —

En la primera fase se dilata el cérvix. Haz lo que por intuición consideres correcto. A lo mejor comienzas a balancearte durante las contracciones, que van aumentando gradualmente de frecuencia e intensidad. Toma un baño o una ducha y deja que el agua te calme. Ves cambiando de postura hasta colocarte en la que te resulte más cómoda.

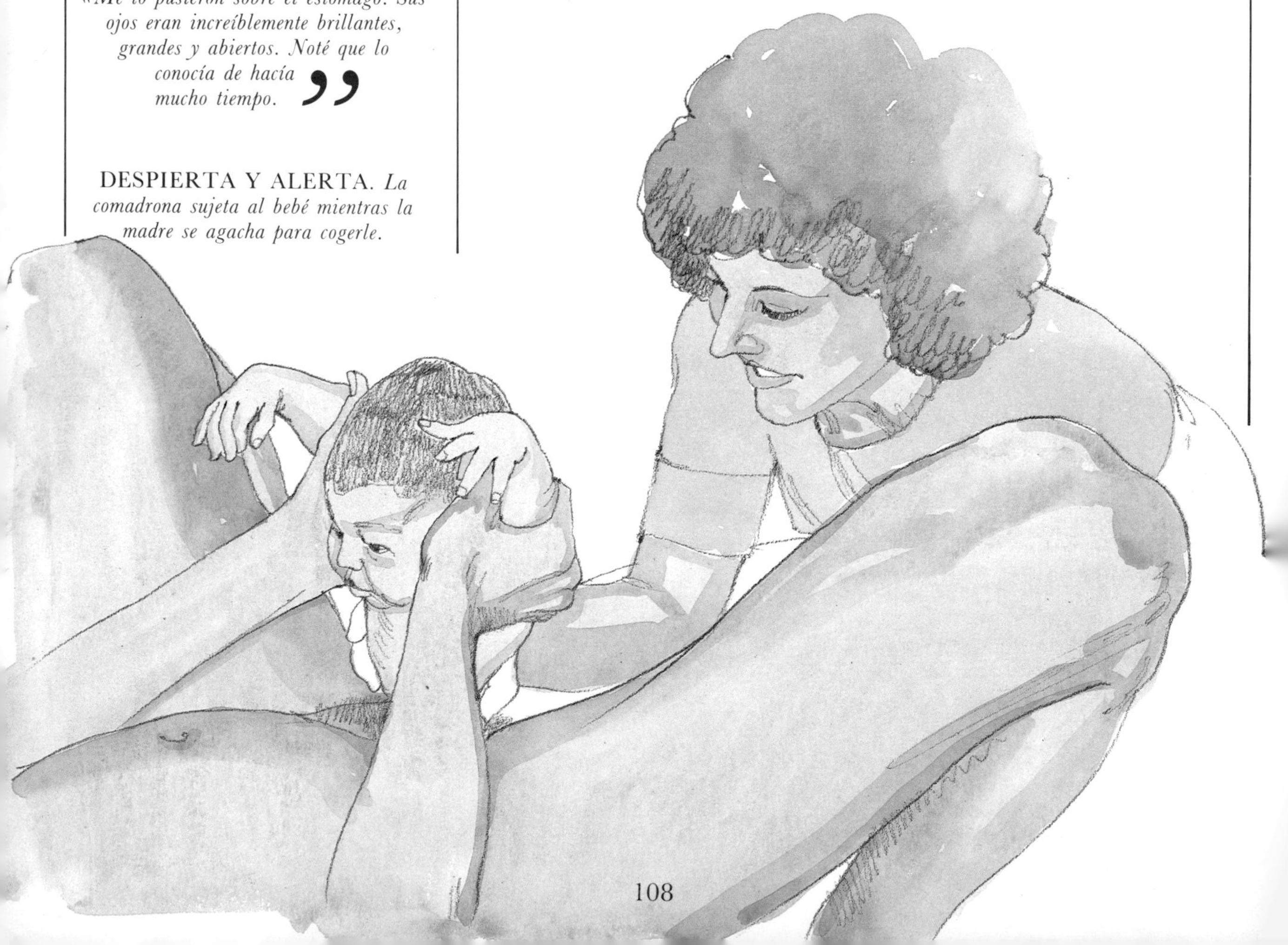

— FIN DE LA PRIMERA FASE —

Ahora las contracciones son más intensas y las sientes como las olas de un océano. Estás gastando mucha energía. Quizás te resulte más fácil relajarte concentrando tus pensamientos en lo que está sucediendo en tu interior. Si necesitas analgésicos, se te administrarán ahora. Explora las distintas posturas en las que te sientes cómoda y pídele a tu pareja que te dé un masaje en la espalda. Respira hondo y en coordinación con las contracciones.

En esta fase puedes sentir náuseas y mareos, y es bueno chupar trocitos de hielo para mantener la boca fresca. Tu cuerpo produce endorfinas, analgésicos naturales, que te mantienen relajada y concentrada en ti misma. Puede parecerte que las palabras de ánimo de tu comadrona y de otras personas proceden de un lugar muy lejano.

— TRANSICIÓN —

Es una fase corta pero intensa. Las contracciones se hacen más dolorosas y puedes sentir una necesidad urgente de empujar y pensar que no podrás soportarlo mucho más. Quizás te pongas irritable con tu pareja, quieras interrumpir el parto y te sientas muy deprimida. Justo antes del inicio de la segunda fase, muchas mujeres tienen una especie de desmayo que resulta muy relajante.

“Me interesaba el bebé como si fuera un cachorro, un gatito, pero no me parecía que me perteneciera. Se lo llevaron para que el pediatra pudiera hacerle un reconocimiento. Seis horas más tarde me lo devolvieron todo cubierto de ropa y me dijeron que tenía que darle de mamar. Necesitaba ayuda pero las enfermeras estaban demasiado ocupadas. Ninguno de nosotros sabía qué hacer.”

— SEGUNDA FASE —

Una vez que el cérvix se ha dilatado completamente, comienzas a sentir una necesidad involuntaria de empujar en el punto máximo de las contracciones. También puedes notar necesidad de defecar, ya que el bebé presiona sobre los nervios que estimulan este reflejo. La sensación de querer empujar se va volviendo cada vez más fuerte y anuncia la segunda fase.

Para la segunda fase lo mejor es adoptar una posición erguida, arrodillada o agachada en cuclillas, ya que la gravedad potencia tus esfuerzos para empujar. Trabajarás en combinación con tu útero para intentar mover al bebé hacia abajo de la vagina. Deja que tu cuerpo se abra más y más y, por último..., el bebé ya está fuera.

¿Qué es la tercera fase?

- La tercera fase del parto consiste en la separación y expulsión de la placenta y la bolsa de las aguas.
- Cuando el bebé ha nacido, el útero continúa contrayéndose y la placenta se separa de la pared uterina.
- Puedes expulsar por ti misma la placenta. Lo mejor para ello es colocarse en cuclillas.
- Dar de mamar al bebé ayuda a que el útero se contraiga.
- En la mayoría de los hospitales se acelera este proceso mediante una inyección de oxitocina, que hace que el útero se contraiga más rápidamente. La comadrona o el médico tira a continuación del cordón umbilical para extraer la placenta y la bolsa de las aguas.

ALERTA Y CON LOS OJOS BIEN ABIERTOS

Un bebé comienza a descubrir el mundo desde el momento en que nace.

“Estaba cubierto de vérnix caseosa, que era pegajosa y recubría todo el cuerpo. Pero era preciosa. Le costó unos 8 segundos respirar y entonces dio un suspiro y se puso toda rosa. Estaba muy despierta.”

MÉTODOS PARA AYUDARTE A EXPULSAR AL BEBÉ

CUANDO LA EXPULSIÓN SE PROLONGUE DEMASIADO, aparezcan cambios en tu ritmo cardíaco que indican que el bebé está sufriendo, o tu tensión arterial se eleve o te sientas exhausta, la forma más rápida de acelerar el nacimiento es la episiotomía, o corte, para aumentar el tamaño del orificio del parto. Si el parto no está demasiado avanzado, quizás te lleven a un quirófano para que el tocólogo pueda ayudar al bebé a salir, en un parto con fórceps o con ventosa. Tienes derecho a que se te informe sobre esto y a participar en todas las decisiones que se tomen.

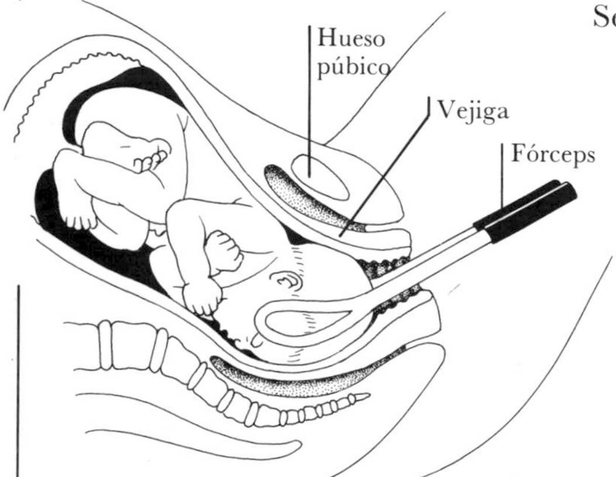

UN FUERTE TIRÓN. *Los fórceps se colocan sobre la cabeza del bebé y tiran de él hacia abajo y hacia adelante. La fuerza de tracción necesaria en un parto con fórceps es similar a la que se necesita para sacar un corcho que está fuertemente encajado en una botella de vino.*

— EPISIOTOMÍA —

Se administra un anestésico local en el perineo, los tejidos que rodean la vagina, y se realiza un corte con tijeras a través de la piel y los músculos del extremo inferior de la vagina. Después del parto se vuelve a coser. Si lo necesitas, pide que te pongan más anestesia.

— FÓRCEPS —

Los fórceps son como unas pinzas para ensalada con un muelle en el asa. Te colocarán las piernas sobre unos estribos. Pide que te pongan dos o tres almohadas bajo la cabeza y los hombros para que puedas ver al bebé nada más nacer. Si la zona no está aún anestesiada, te administrarán un anestésico local para que estés preparada para una episiotomía si la necesitas. Entonces se introducen las hojas del fórceps y se colocan sobre los lados de la cabeza del bebé. Al mismo tiempo que el médico tira, tú empujas. Puedes solicitar que retiren el fórceps una vez haya salido la cabeza, para que puedas expulsar el resto del cuerpo por ti misma.

— EXTRACCIÓN CON VENTOSA —

Las *ventosas* funcionan como una aspiradora en miniatura y se pueden utilizar sin episiotomía. Se coloca una cúpula de succión sobre la cabeza del bebé y se aspira de él hacia afuera con cada contracción, al tiempo que tú empujas. Esto produce un alargamiento de la cabeza que desaparece en los días siguientes al parto.

“Habíamos hablado sobre los partos con fórceps y ventosa en las clases, y como todas las demás, no creía que me fuera a pasar a mí. A pesar de los esfuerzos que realicé, no se movía, por lo que utilizaron una ventosa. *El médico realizó una pequeña episiotomía, ya que sabía que en realidad yo no deseaba que que me la hicieran.”*

Hueso púbico
Vejiga
Tubo que va al aparato de vacio
Cúpula de succión
Columna Vertebral

LA VENTOSA
Cuando aún queda un borde de cérvix, se puede utilizar un extractor por vacío, lo que supone una ventaja sobre el fórceps, que no se puede utilizar de esta forma.

TIEMPO PARA RECUPERARTE

Una cesárea es una operación importante que requiere un tiempo de recuperación.

"*La última vez me hicieron una cesárea de urgencia tras muchas horas de parto. Esta vez decidí que me pusieran anestesia epidural. No noté nada. Roberto cogió el bebé en cuanto nació.*"

— CESÁREA —

La cesárea puede ser planeada (por decisión propia) o convertirse en un procedimiento de urgencia que se realiza cuando existe algún riesgo. Puede ser el único método para que el bebé nazca sano si la placenta está situada encima de la cabeza o si la madre sufre preeclampsia aguda (página 92). Aunque algunos médicos practican cesáreas siempre que el cérvix tarda en dilatarse y para los bebés que vienen de nalgas, no es necesaria en estos casos, lo que significa que se realizan cesáreas innecesarias.

Si ya te han hecho una cesárea, no significa necesariamente que la próxima vez haya que hacerte otra. Cada parto es distinto. Muchas mujeres a las que se les ha practicado una cesárea pueden tener partos vaginales si les permiten moverse, les dan tiempo suficiente y tienen un apoyo adecuado.

— ¿ANESTESIA EPIDURAL O GENERAL? —

Si van a hacerte una cesárea puedes elegir entre anestesia general o epidural. Si deseas que tu pareja esté contigo, avísalo, aunque a lo mejor no está permitido si te administran anestesia general. Si te van a administrar anestesia epidural, puedes pedir que te dejen llevar música al quirófano y que atenúen la luz. Podrás ver y coger a tu bebé inmediatamente. Tras una anestesia general, la mayoría de las mujeres se sienten mareadas. Pero cuando la decisión de hacer una cesárea se toma durante el parto, a veces no hay tiempo para administrar anestesia epidural. Si la anestesia es general, puedes pedir que permitan a tu pareja tomar en brazos al bebé antes de que tú despiertes. Cuando pasen los efectos de la anestesia, el bebé quizás se encuentre en maternidad. Tu pareja puede permanecer allí con él y en cuanto tú puedas hacerlo, podrás pedir que te lleven en silla de ruedas para verle.

TUS DESEOS PERSONALES

P ¿Qué deseos personales tienes en caso de que realicen un parto con fórceps o con ventosa?

____

____

____

____

____

FECHA DE HOY ______________________

P ¿Cuáles son tus deseos personales en cuanto a la cesárea?

____

____

____

____

____

____

SALIR DE CUENTAS

UNA VEZ SUPERADA LA FECHA PREVISTA PARA EL PARTO, los días parecen semanas y las semanas, meses. Cualquier contracción te parece que puede ser el comienzo del parto y te vuelves hipersensible a las contracciones de Braxton Hicks, las contracciones de «ensayo» del útero, que puedes sentir como fuertes pellizcos en todo el estómago. Muchas mujeres tienen «partos falsos», por las ganas que tienen de comenzar. Otras mujeres temen la amenaza del parto provocado. De repente todo parece ser anormal, y tienes que ponerte en manos de los médicos.

PREPARACIÓN
Tras una infusión intravenosa de sintocinona deberás permanecer inmóvil, por lo que debes ponerte cómoda antes de que se inicie.

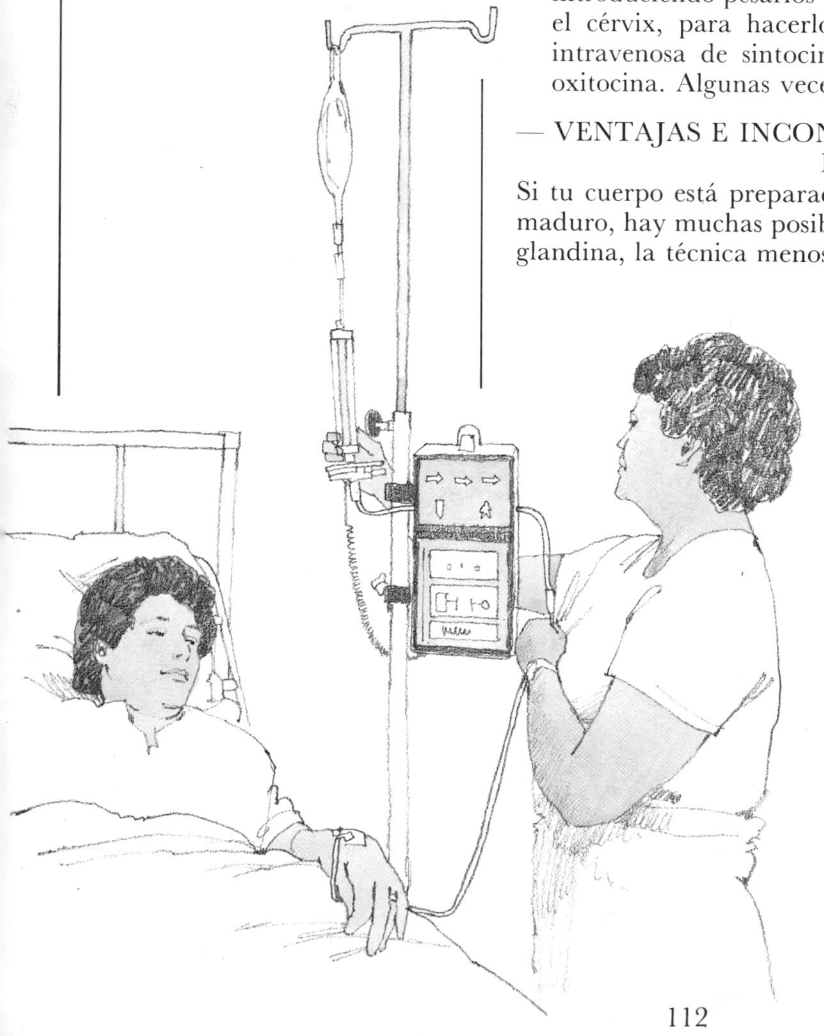

— ¿QUÉ ES LA PROVOCACIÓN DEL PARTO? —

La provocación del parto consiste en iniciarlo artificialmente. No siempre da resultado. La razón más frecuente para provocar el parto es la superación de la fecha prevista para éste. Puede consistir en eliminar las membranas y puncionar la bolsa de las aguas, con un instrumento similar a una aguja de ganchillo. También se realiza introduciendo pesarios con prostaglandina a través de la vagina en el cérvix, para hacerlo madurar. Otro método es una infusión intravenosa de sintocinona, una forma sintética de la hormona oxitocina. Algunas veces se utilizan los tres métodos a la vez.

— VENTAJAS E INCONVENIENTES DE LA PROVOCACIÓN DEL PARTO —

Si tu cuerpo está preparado para iniciar el parto y el cérvix está ya maduro, hay muchas posibilidades de que la estimulación con prostaglandina, la técnica menos invasiva para inducir el parto, estimulará la dilatación del cérvix y a partir de ahí dilatarás de forma natural.

La ruptura artificial de la bolsa de las aguas tiene ciertas desventajas porque significa la desaparición de la burbuja protectora en la que se encuentra el bebé. La administración de sintocinona en una infusión se debe controlar cuidadosamente, para evitar que el parto sea demasiado rápido, violento y doloroso. Ambos métodos incrementan las necesidades de asistencia durante el parto, con fórceps o con ventosa, o con cesárea.

Si te proponen provocarte el parto, puedes decirles que deseas discutirlo bien antes, preguntar por qué es recomendable para ti, y averiguar qué método utilizarán. Si no te convencen las razones, no es necesario que accedas a la inducción. Si sigues adelante y se te provoca el parto, necesitarás mucho apoyo emocional de tu compañero de parto.

ESTIMULACION DEL PARTO POR TI MISMA

Si sientes presión para que aceptes un parto provocado y quieres mantener el control de tu cuerpo, intenta iniciar el parto tú misma haciendo lo siguiente.

— MASAJE DE MAMAS —

Acariciar tus mamas y pezones estimula la liberación natural de oxitocina a la sangre. Esto contribuye a la maduración del cérvix y puede incluso iniciar el parto. Si notas las mamas muy duras y llenas, preferirás masajearlas tú. También puede hacerlo tu pareja. A veces es necesario masajear las mamas más de una hora, tres veces cada 24 horas.

CARICIAS EN LOS PEZONES
Puede estimular la liberación de oxitocina haciendo esto.

— HACER EL AMOR —

Cualquier forma de hacer el amor, siempre que lo disfrutes, estimula la liberación de oxitocina. Debe ser lento y sensual. Procura que la habitación esté templada. La posición más cómoda será quizás colocarte con tu espalda contra tu pareja, para que te pueda acariciar las mamas al mismo tiempo. Si tu pareja se sitúa encima, el semen, que es rico en prostaglandinas, que hacen que el útero se contraiga, entrará en tu cérvix.

Si empiezas a tener contracciones cada dos minutos o menos, reduce o interrumpe la estimulación, ya que las cosas pueden ir demasiado rápidas.

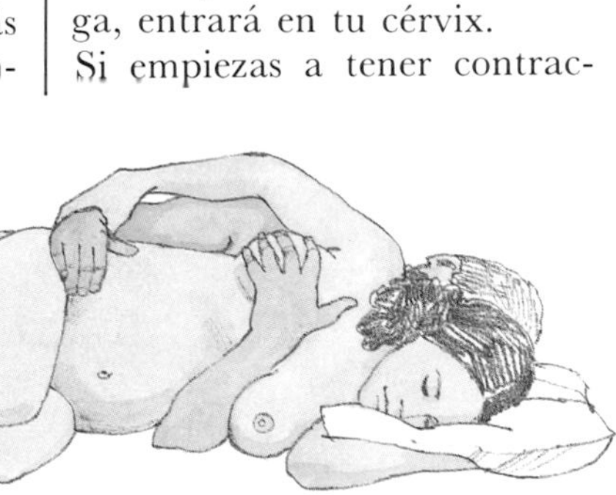

CARICIAS CARIÑOSAS.
Mientras estás tumbada sobre un costado, tu pareja te acaricia.

“Habían pasado tres días de la fecha prevista para el parto, y me dirigí a la recepción del hospital para que me apuntaran para un parto provocado al final de la semana, ya que el médico me dijo que debía hacerlo, pues éstas eran las reglas del hospital. El recepcionista me dijo: “en esas fechas estamos muy ocupados, entre ahora”. Me dejó impresionada.»

«Estaba de 39 semanas y el médico dijo: te garantizo un parto que no dure más de diez horas, ¿cuándo quieres tener a tu bebé?»

«Cuando estaba de 36 semanas me dijo que el parto sería provocado. Contesté que el bebé aún no estaba a término, y que quería saber por qué. Él respondió que la fecha de mi último período no era muy segura. Esto me preocupó e hice más preguntas. Coincidió conmigo en que estaba sana y dijo que era mejor hacerlo así porque la placenta envejece si el bebé se pasa de fecha, y que si quería esperar hasta el final era bajo mi propia responsabilidad. Contesté que estaba dispuesta a aceptar ese riesgo. El parto comenzó de forma natural a las 40 semanas, no hubo problemas y el bebé está muy bien.»

«El médico dijo que la inducción tenía muchas posibilidades de tener éxito porque mi cérvix estaba maduro ya y creía que un pesario con prostaglandinas iniciaría el parto. Me pusieron el primer pesario antes de irme a dormir y me desperté a las 3 con dolor de espalda y me di cuenta de que tenía contracciones cada 5 minutos. Llamé por teléfono a Philip para decirle que viniera, me di una ducha y me refresqué, y comencé a tener contracciones con intervalos de dos minutos. Nació con la salida del sol un precioso día de verano.”

PARTO ACTIVO

ANTES SE CREÍA que el mejor sitio para el parto era la cama, donde se trataba a la mujer como una enferma. Aun hoy en día la gente cree que esto es lo natural. Pero de hecho no lo es. En muchas culturas tradicionales las mujeres se mantienen en movimiento durante el parto. Las ventajas de permanecer de pie y en movimiento, y de tener un parto activo, se están redescubriendo ahora: la mujer controla mejor la situación, las contracciones son más eficaces, el dolor se reduce, el parto es más corto y el bebé nace en mejores condiciones que cuando la madre está tumbada sobre la espalda. Si deseas que tu parto sea activo, es conveniente que aprendas a realizar movimientos de distensión y apertura, muchos de los cuales se toman del yoga, y a moverte rítmicamente, balancear la pelvis y hacer todos los sonidos que deseas. No hace falta que montes un número, pero sí que hagas lo que te apetezca hacer. Así colaboras *con* tu cuerpo en lugar de luchar contra él. Sabrás exactamente qué movimientos y qué posiciones pueden aliviar el dolor y cómo abrir la pelvis para dejar que salga el bebé.

DE PIE APOYADA
De esta forma podrás realizar movimientos lentos y suaves del vientre.

“*Lo mejor era estar de pie y cuando notaba una contracción me apoyaba hacia adelante sobre la pared.*”

— MOVIMIENTO EN LA PRIMERA FASE —

Durante las largas horas de la primera fase, hay que evitar mantenerse quieta en una posición. Es conveniente permanecer en movimiento. Debes recibir cada contracción con una inspiración lenta y profunda, apoyándote en las personas que te acompañan y en el mobiliario de la habitación. Tus acompañantes podrán balancearse y moverse suavemente al mismo ritmo que tú, adaptándose al ritmo de las contracciones. Así podrás respirar sin esfuerzo y ayudar a dilatar el cérvix.

Las posiciones en bipedestación con los pies bien abiertos y las rodillas ligeramente dobladas son aconsejables. También es bueno caminar o apoyarse contra una pared o contra tu pareja cuando llegan las contracciones. A algunas mujeres les gusta cogerse de algo para colgarse de ello, por ejemplo de una toalla que se haya atado bien de un soporte en el techo, o del cuello de su pareja.

Si tienes dolores de espalda, deberás buscar posiciones en las que el peso del bebé descanse sobre la pared abdominal, y en las que tu pareja pueda actuar como contrapeso o darte masajes en la parte inferior de la espalda. Inclinarse hacia adelante, arrodillarse o colocarse a gatas son las mejores posiciones.

SENTADA. *A veces resulta cómodo apoyarse en el respaldo de una silla.*

“*Me gustaba apoyarme sobre una banqueta, con el estómago sobre la curva de ésta, y así podía balancear y girar la pelvis*”

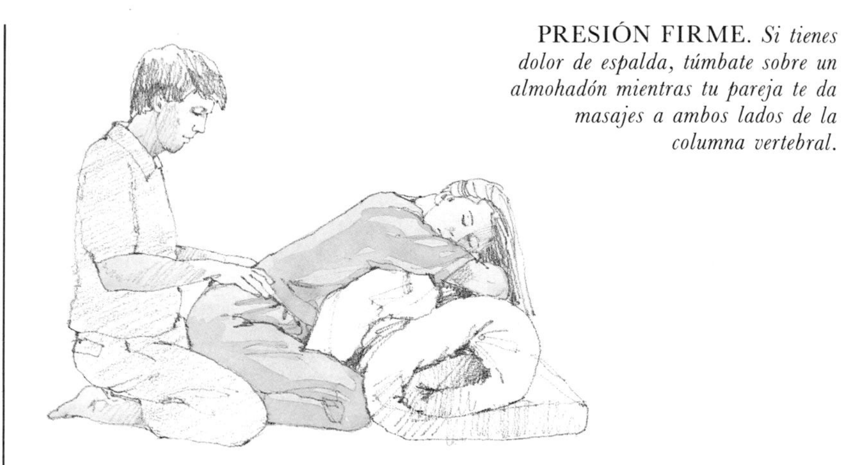

PRESIÓN FIRME. *Si tienes dolor de espalda, túmbate sobre un almohadón mientras tu pareja te da masajes a ambos lados de la columna vertebral.*

«Estuve todo el rato haciendo ejercicios de balanceo pélvico y movimiento de tripa. Lo pasé mucho mejor que en el último parto, en el que me tumbé y no me moví, con un terrible dolor de espalda. Empujaba con las rodillas, apoyándome en la cabecera de la cama. Tener libres las caderas me ayudó mucho. Nuestro hijo nació al cabo de una hora de comenzar la segunda fase, deslizándose con facilidad hacia afuera y ni siquiera me rasgué.»

«No fue un parto fácil ni indoloro, pero sinceramente puedo decir que lo disfruté. Poder moverme fue importante para mí. En las clases practiqué cómo relajar las rodillas y las articulaciones pélvicas, y cuando llegó el momento podía controlar las contracciones como si siguiera el ritmo de la música.»

— MOVIMIENTO EN LA SEGUNDA FASE —

Ciertas posiciones, como por ejemplo colocarse en cuclillas, o de rodillas, ayudan a relajar y distender los músculos de la base de la pelvis, que de este modo se abre más fácilmente. Comprueba que los músculos de la parte interna de los muslos se hallan relajados, y que cuando empujas puedes mover la parte inferior de la espalda, redondear los hombros y dejar caer la cabeza hacia adelante. Es mejor apoyarse en una persona que adapte su postura y movimientos a tus contracciones, que utilizar un mobiliario especial.

EN CUCLILLAS. *En esta posición tu pelvis se halla dilatada al máximo.*

A muchas mujeres les gusta poder apoyar los pies en el suelo para empujar con más fuerza y relajar mejor el perineo en una de estas posiciones. Si decides dar a luz en cuclillas con tu compañero detrás de ti, es mejor que te coja de las muñecas o los antebrazos, en lugar de las axilas, ya que esto último podría producir lesiones nerviosas en los brazos, si se prolonga la postura.

TUMBADA DE LADO. *Es una buena posición si te encuentras muy cansada.*

LIGERAMENTE AGACHADA. *En esta posición la fuerza de la gravedad te ayudará a empujar mientras tu compañero soporta tu peso.*

EL AGUA EN EL PARTO

EL AGUA TIENE UN EFECTO CALMANTE y ayuda a relajarse. Dentro del agua es más fácil moverse y el líquido elemento da una idea reconfortante, de movimiento hacia adelante, que te ayudará a imaginarte cómo se abre tu cuerpo. Puede tener un fuerte efecto psicológico positivo que ayuda a dilatar la pelvis y a aceptar la fuerza que mana del interior de tu cuerpo.

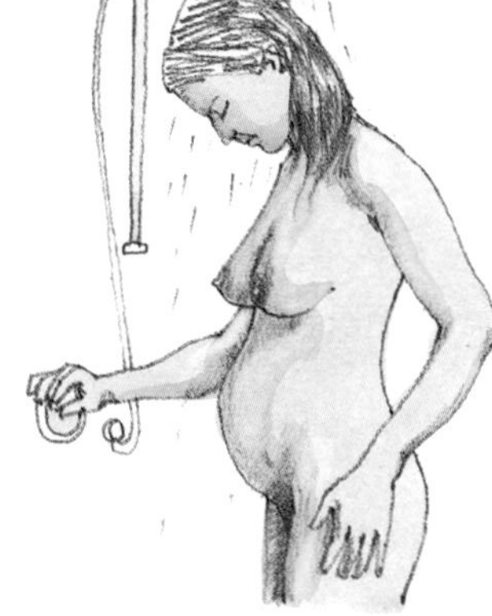

TOMA UNA DUCHA
La sensación del agua que cae sobre tu cuerpo resulta muy agradable.

“La comadrona y yo paseamos por el jardín durante la primera fase. Cada vez que tenía una contracción me ponía en cuclillas sujetándome en un árbol. Cuando había dilatado 7 cm, los árboles parecían estar muy lejos unos de otros. Me apetecía mucho estar dentro del agua, por lo que me metí en la bañera. Me negué a salir y el bebé nació suavemente bajo el agua y lo recogí con mis brazos.»

«El tocólogo colocó una banqueta en la piscina de partos, para que diera a luz al bebé, que venía de nalgas. Había preparado los fórceps, pero no necesitó utilizarlos.”

— BAÑO O DUCHA —

La forma más sencilla de emplear el agua durante el parto es darse un baño caliente. Procura que el agua te cubra lo máximo posible. El agua contrarresta los efectos de la gravedad, te ayuda a relajarte, a desinhibirte y a rendirte a los ritmos naturales de tu cuerpo.

Mientras te encuentras en la bañera, vierte agua de una jarra sobre tu abdomen, cuando la contracción llegue a su punto máximo, o pide a tu pareja que lo haga. Las luces del cuarto de baño suelen ser muy fuertes, así que quizás sea mejor poner una vela. En el hospital seguramente no podrás darte un baño, pero lo que sí que podrás hacer es darte una ducha, de pie o sentada en una banqueta, y dejar que el agua caliente caiga sobre ti. Si tu compañero va a acompañarte en la ducha o en una piscina de parto, acordaos de llevar los bañadores.

RELAJACIÓN EN EL BAÑO
Una forma muy agradable de relajarse es darse un baño.

— ALIVIO DEL DOLOR DE ESPALDA DEL PARTO —

Si el bebé se halla en posición occípito-posterior, puedes sufrir dolores de espalda. Para aliviar el dolor puedes sentarte bajo la ducha o pedirle a tu compañero que te dé baños de esponja con agua caliente en la espalda, cuando aumenta la intensidad de las contracciones. Si te hallas en una bañera o piscina, colócate a gatas o de rodillas para que la parte dura de la cabeza del bebé se aleje de la columna vertebral. Se consigue un gran alivio del dolor dirigiendo una ducha de teléfono hacia el punto de la espalda afectado, ya que el chorro de agua contrarresta el estímulo doloroso.

— NACIMIENTO EN UNA PISCINA —

Las piscinas de parto son redondas y profundas, van forradas de plástico y se llenan con agua caliente. Sirven para relajarse durante el parto. El borde superior suele estar almohadillado, para que puedas apoyarte contra él, y la temperatura del agua se controla termostáticamente. Algunos centros de maternidad y unos pocos hospitales disponen de este tipo de piscinas, y también puedes alquilar o comprar una para dar a luz en casa.

Las mujeres que utilizan piscinas de parto suelen pasar las primeras fases dentro, pero para la expulsión prefieren salir del agua, aunque también es posible dar a luz en el interior. Lo mejor es hacer lo que desees en ese momento.

Otras formas de utilizar el agua

- Puedes utilizar paños o toallas mojadas en agua caliente para colocarlas sobre la espalda, el estómago, la cara o el cuello.
- Si tiene calor, puedes utilizar bolsas de hielo para refrescar la cara y el cuello.
- Si no te apetece beber, chupa cubitos de hielo.
- Utiliza un pulverizador, que no sea aerosol, para refrescarte con agua.
- Si tienes frío, utiliza una bolsa de agua caliente, colocándola en la parte baja del abdomen o entre las piernas.
- Para humedecerse los labios, lo ideal es una esponja natural impregnada de agua fría.
- Utiliza un termo para mantener el agua fría, que vas a utilizar en los paños o esponjas para la cara.

CREA TU PROPIO ESPACIO

Si te encuentras en una piscina de parto, es mejor que tu compañero no se meta en el agua contigo, para que tengas más espacio y te puedas mover con mayor libertad. La comadrona agradecerá un gran almohadón para las rodillas o una banqueta almohadillada para arrodillarse y evitar dolores en la espalda.

“No me quedé tumbada en el agua. Me gustaba moverme. Notaba que mi cuerpo iba indicándome lo que tenía que hacer. Así que estuve moviéndome, dando vueltas, buceando y moviendo las piernas. Se estaba muy bien.»

«Deseaba tomar un bano en la habitación de la clínica porque en casa me había resultado muy agradable. Una vez en la bañera, las contracciones se hicieron más intensas y no me pude mover de allí. Así que di a luz en la bañera. La comadrona y yo nos reíamos después al verla con media cabeza mojada por el lado que había estado utilizando el estetoscopio.»

«La fase de transición se hizo muy dura y el dolor era continuo. No podía más y Eduardo estaba muy cansado. También estaba conmigo una amiga. Entró conmigo en la ducha y empezamos a bailar y a cantar juntas. Mientras, Eduardo se tumbó en la cama y se puso a hablar con la comadrona. Cuando salí de la ducha estaba completamente dilatada.”

PARTO AGRADABLE

¿HAS PENSADO ALGUNA VEZ en lo que se siente al nacer? Algunos partos resultan violentos tanto para la madre como para el bebé. Incluso los partos que resultan agradables para los padres pueden suponer una cierta violencia para el bebé. Muchas veces los recién nacidos son examinados y manipulados sin delicadeza y con movimientos rápidos y bruscos. Se les expone a luces intensas y voces fuertes, y les dejan aislados del contacto humano en una caja de plástico o en una sala de maternidad llena de niños que lloran.

— MOMENTOS ANTES DEL PARTO —

Puedes dar a luz incorporada o semiincorporada para poder ver desde el primer momento como sale el bebé. También es útil colocar enfrente un espejo y si alguien te lo sujeta un poco inclinado, podrás ver cómo sale la cabeza.

Si tocas con la mano, podrás notar la cabecita del niño antes de que haya nacido. A continuación la cabeza se desliza hacia afuera y se gira de forma que puedes verle la cara, y luego salen los hombros y el resto del cuerpo.

Antes de que el bebé salga, puedes reducir la intensidad de la luz. Si la luz es suave, es más fácil que abra los ojos y te mire.

¿Qué siente el bebé?

- Probablemente el bebé nota las contracciones más fuertes como pellizcos.
- El cérvix en dilatación se halla por lo general firmemente apoyado contra la cabeza del bebé.
- Cuando el bebé es empujado hacia abajo, la cabeza y el cuerpo se comprimen en una bola. Si esta compresión es muy fuerte, el flujo sanguíneo cerebral se interrumpe en el punto máximo de las contracciones y el bebé queda durante unos momentos sin sentir nada.

MOMENTOS TRANQUILOS
La hora posterior al parto debe ser sagrada, no sólo para el niño, sino también para la pareja.

BAÑO DE LEBOYER. *Algunos padres desean bañar al bebé después del parto para que el recién nacido descubra sus extremidades en el medio familiar del agua.*

«Deseábamos realizar el baño de Leboyer. Creo que es una buena idea que el padre bañe a su hijo. Pero cuando llegó el momento el pequeño parecía tan contento en el pecho de la madre que decidimos aplazar el baño hasta el próximo día. Disfrutamos mucho haciéndolo entonces.»

«En mi plan para el parto pedí que la luz fuera tenue. Al final tuvieron que utilizar fórceps porque no podía salir. Aun así, el médico respetó mis deseos y apagaron la luz principal de la habitación, dejando sólo una lámpara para que el médico pudiera ver lo que estaba haciendo. El médico dijo: "bien, ya ha salido la parte más ancha de la cabeza, ¿por qué no intentas empujar y expulsar el resto del cuerpo por ti misma?" Lo hice así y enseguida la pusieron en mis brazos, estaba caliente y resbaladiza. Fue un momento inolvidable.»

— LLEGADA AL MUNDO —

Te colocán suavemente al bebé sobre el estómago o los muslos. Enseguida lo cogerás con tus brazos, mientras se apoya contra tu cuerpo, notando cómo late el cordón umbilical. Pide al médico que esperen a cortar el cordón hasta que deje de pulsar, y que esperen todo lo posible antes de inyectarte oxitocina, que podría pasar a la circulación del bebé. Si ves que lo necesita, pide que introduzcan una sonda (un fino tubo) en la boca del bebé y en la nariz para succionar las mucosidades.

En algunos hospitales tienen mucha prisa para que expulses la placenta, y termine el parto. Al recién nacido le asustan las voces fuertes y el ruido de los materiales, así que solicita que haya tranquilidad en el paritorio.

El bebé oye y reacciona a la voz de la madre, así que habla con él. Las palabras vendrán de forma natural. Pide que te dejen estar algún tiempo con tu hijo antes de que se lo lleven. Acúnalo y acarícialo todo lo que desees, manteniéndolo cerca de ti. Es una buena forma de empezar la vida y un buen comienzo de vuestra relación familiar.

LA BIENVENIDA A TU BEBÉ

P ¿Qué te gustaría hacer para dar la bienvenida al mundo a tu bebé?

FECHA DE HOY

LOS MOMENTOS POSTERIORES AL PARTO

YA TIENES EL BEBÉ en tus brazos y por fin podéis miraros uno al otro. La mayoría de los bebés exploran la cara de su madre y establecen contacto ocular al momento de nacer. Da la bienvenida a tu hijo con un contacto piel a piel. Enséñale que tu cuerpo es un refugio seguro. Cuando empiece a moverse, ponlo a mamar. Por muy fatigoso que haya sido el parto, la mayoría de las mujeres se hallan muy activas después, si tienen al bebé con ellas.

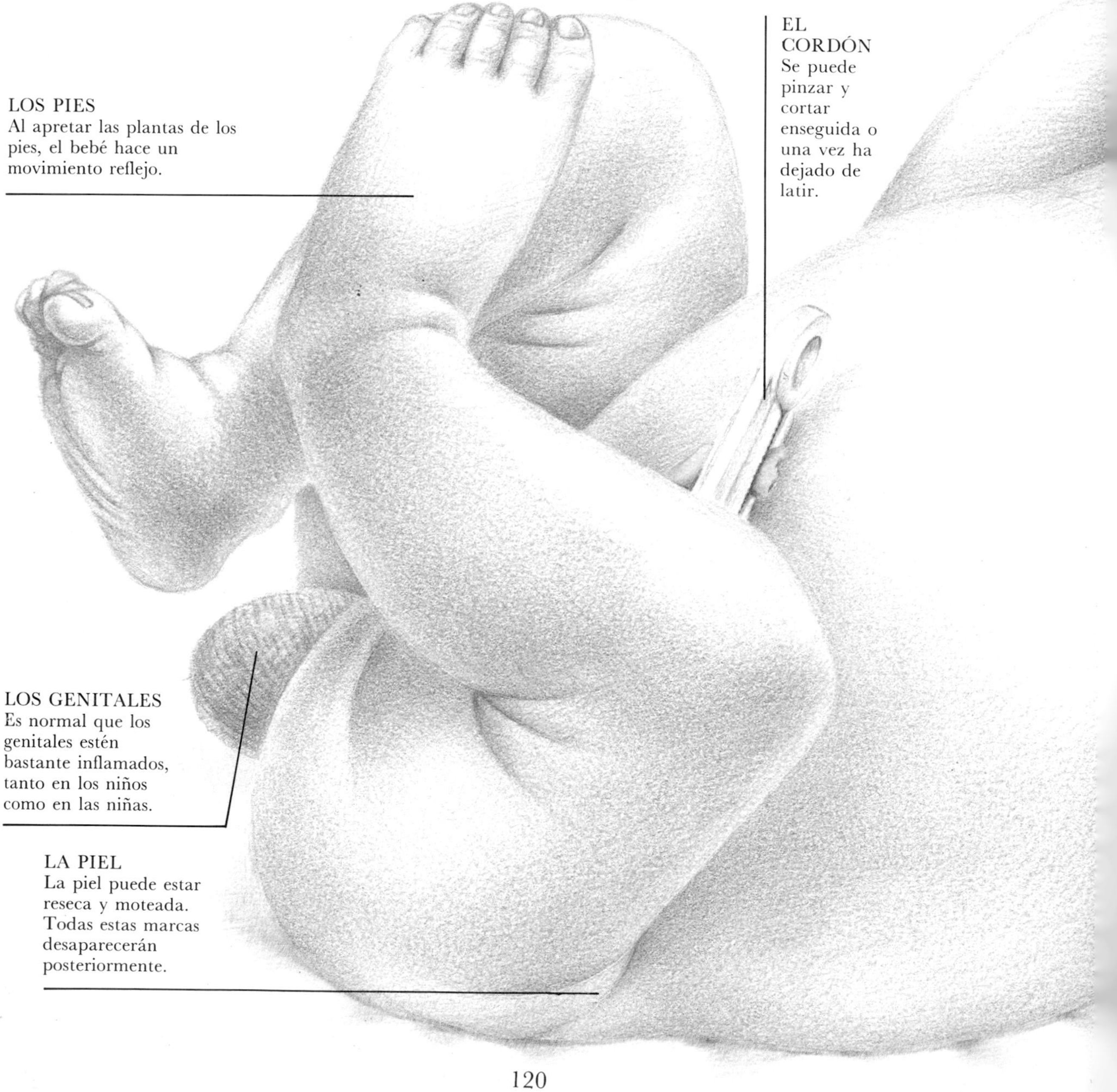

LOS PIES
Al apretar las plantas de los pies, el bebé hace un movimiento reflejo.

EL CORDÓN
Se puede pinzar y cortar enseguida o una vez ha dejado de latir.

LOS GENITALES
Es normal que los genitales estén bastante inflamados, tanto en los niños como en las niñas.

LA PIEL
La piel puede estar reseca y moteada. Todas estas marcas desaparecerán posteriormente.

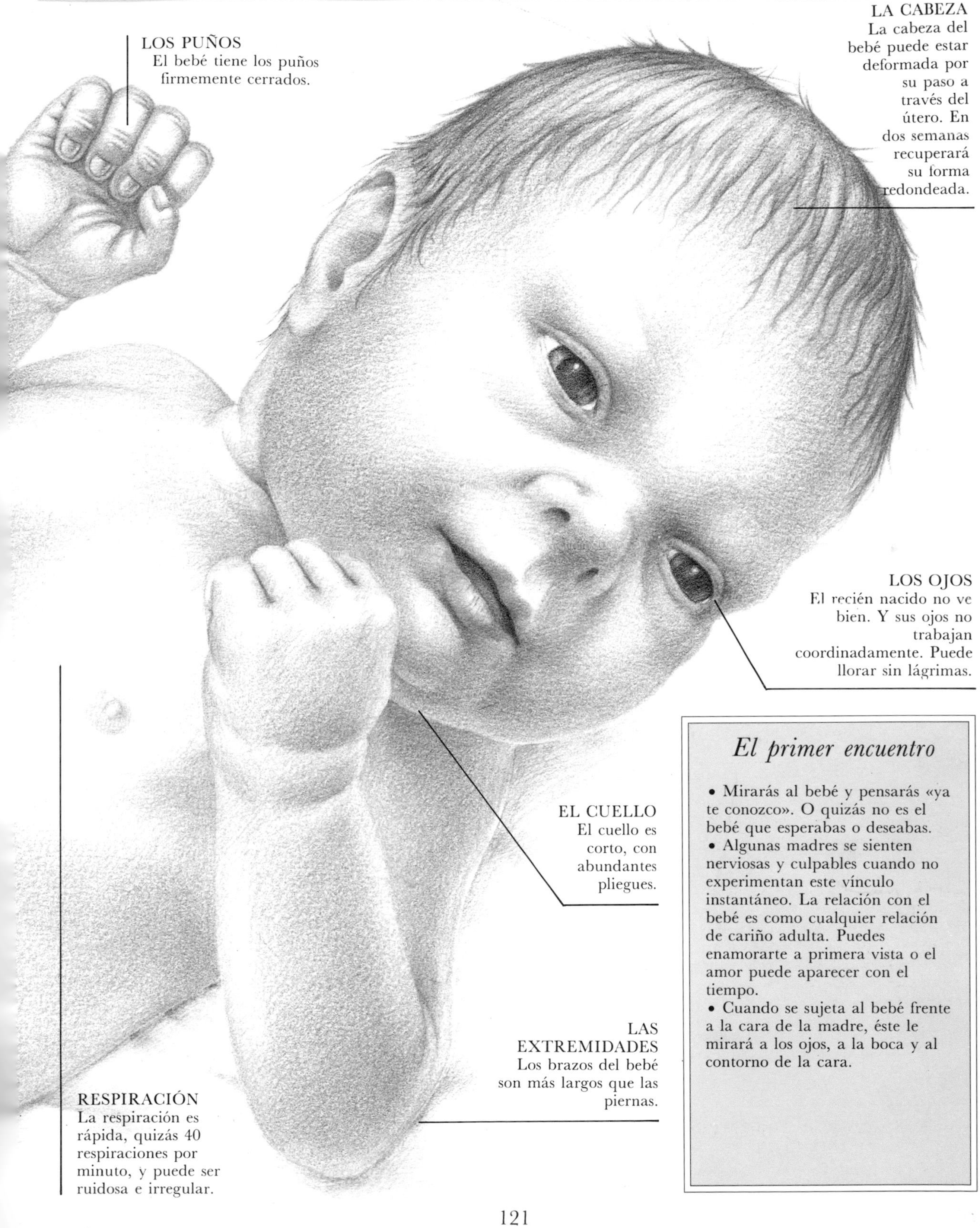

El primer encuentro

- Mirarás al bebé y pensarás «ya te conozco». O quizás no es el bebé que esperabas o deseabas.
- Algunas madres se sienten nerviosas y culpables cuando no experimentan este vínculo instantáneo. La relación con el bebé es como cualquier relación de cariño adulta. Puedes enamorarte a primera vista o el amor puede aparecer con el tiempo.
- Cuando se sujeta al bebé frente a la cara de la madre, éste le mirará a los ojos, a la boca y al contorno de la cara.

TU RELATO DEL PARTO

ESTAS PÁGINAS SON PARA que cuentes el nacimiento de tu hijo con tus propias palabras. Los acontecimientos que ahora están muy frescos en tu memoria, pueden ir desdibujándose o alterarse con el paso del tiempo. Quizás desees recordar exactamente lo que sucedió para podérselo contar a tu hijo. Empieza relatando como se inició el parto, dónde estabas y qué estabas haciendo. Al final describe cómo te sentiste cuando cogiste por primera vez a tu hijo en brazos.

UNA NUEVA VIDA. *El nacimiento de un niño es el comienzo de una experiencia única para toda la familia.*

Tus fotografías

Lecturas recomendadas

The Encyclopedia of Pregnancy and Birth
J. Balaskas y Y. Gordon
Macdonald Orbis 1987,
Rústica 1989

Exercises for Childbirth
B. Dale y J. Roeber
Century 1982

Parenthood: The Whole Story
Dorothy Enion
Bloomsbury 1988,
Rústica 1989

The New Baby and Child
Penelope Leach
Michael Joseph 1988

Pregnancy and Parenthood
A. Loeder (ed.)
(Manual oficial del National Childbirth Trust)
OUP 1985

The Politics of Breastfeeding
Gabrielle Palmer
Pandora 1988

The Tentative Pregnancy
Barbara Katz Rothman
(Este libro trata de la vigilancia del embarazo y de sus inplicaciones)
Pandora 1988

Embarazo y nacimiento
Sheila Kitzinger
McGraw-Hill/Interamericana
1.ª ed. 1983,
2.ª ed. en preparación

The Experience of Childbirth
Sheila Kitzinger
Gollancz 1982,
Penguin 1987

Birth Over Thirty
Sheila Kitzinger
Sheldon Press 1982

Freedom and Choice in Childbirth: Marking Pregnancy Decisions and Birth Plans
Sheila Kitzinger
Viking 1987,
Penguin 1988

Giving Birth: How It Really Feels
Sheila Kitzinger
Gollancz 1987

Womańs Experience of Sex
Sheila Kitzinger
Dorling Kindersley 1983,
Penguin 1986

The Crying Baby
Sheila Kitzinger
Viking 1989,
Penguin 1990

The Experience of Breastfeeding
Sheila Kitzinger
Penguin 1987

Cómo amamantar a tu bebé
Sheila Kitzinger
McGraw-Hill/Interamericana 1989

Some Women's Experiences of Epidurals
Sheila Kitzinger
National Childbirth Trust 1987

Episiotomy and the Second Stage of Labor
Sheila Kitzinger y P. Simkin (eds.)
Pennypress, Seattle 1986
(disponible en el National Chilbdirth Trust)

The Midwife Challenge
Sheila Kitzinger
Pandora 1988

Being Born
Sheila Kitzinger
(fotografías de Lennart Nilsson)
Dorling Kindersley 1986

Talking With Children About Things That Matter
Sheila Kitzinger y Celia Kitzinger
Pandora 1989

Índice

— AGRADECIMIENTOS —

Las autoras desean agradecer a Uwe y David el apoyo prestado. Judith Schroeder, Kim Hamilton y David Bailey nos prestaron una ayuda fundamental en la preparación de este libro. Nos gustaría también dar las gracias a todas las comadronas con las que trabajamos y a las madres que tanto han contribuido a la redacción de estas páginas. Claire y Richard Carlton tuvieron un precioso hijo, Jude, mientras escribíamos este libro. Queremos dar especialmente las gracias a Vic y Mary Hazel, Alison Hazel, Lorna Warren, Fran Dutton, Janice Williams, Jackie Couves, Naomi Morton y Betty Angus. El libro de Daphne y Charles Maurer, *The World of the Newborn* (Viking 1988), nos proporcionó un valioso material sobre el comportamiento del bebé en el útero, que es motivo de nuestro agradecimiento. También queremos agradecerle al National Childbirth Trust por las citas sobre madres minusválidas que aparecen en las páginas 50 y 51, que fueron seleccionadas (de manera abreviada) del «The Emotions and Experiences of Some Disabled Mothers» (National Chidbirth Trust 1985). **Dorling Kindersley** quiere agradecer a la plantilla de Richmond la ayuda prestada en el trabajo editorial; a Kate Grant por la maquetación inicial del texto; Rosalind Priestley y Maryann Rogers por su colaboración en producción; y a Janos Marffy por la aerografía. **Fotografías especiales** por Nancy Durrell McKenna en las páginas 26-27, 38-39, 52-53, 74-75, 84-85, 94-95, 104-105. **Fotografías** por Nancy Durrell McKenna en la página 8; por Lennart Nilsson en las páginas 12, 13, 28, 29, 41, 55, 67, 76, 86, 96 (todas copyright de Lennart Nilsson); por Stephen Oliver en las páginas 30-31, 32-33, 64-65. **Las ilustraciones** por David Ashby están en la página 49; por Mark Iley en las páginas 28, 40, 54, 66-67, 76-77, 86-87, 96-97, 106-107, 120-121; por Tony Randall en las páginas 12, 34, 35, 51, 52, 64, 70, 98, 99, 100 (maqueta de «Agarrarse al pecho»), 110. Las restantes ilustraciones han sido realizadas por Michael Grimsdale.

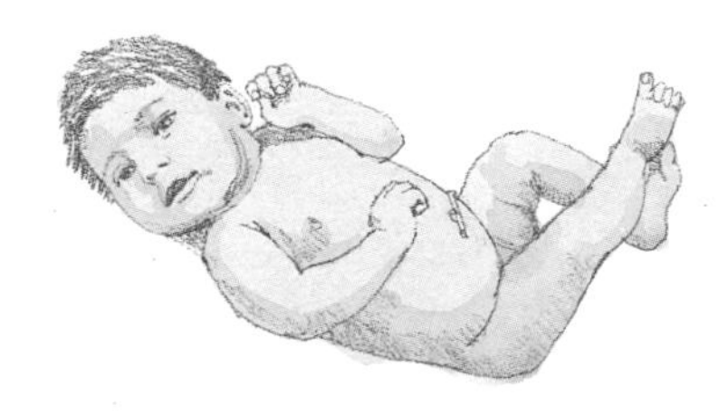

Conoce la fecha del parto

ENERO	1	2	3	4	5	6	7	8	9	10	11	12	13	14	15	16	17	18	19
OCTUBRE	8	9	10	11	12	13	14	15	16	17	18	19	20	21	22	23	24	25	26
FEBRERO	1	2	3	4	5	6	7	8	9	10	11	12	13	14	15	16	17	18	19
NOVIEMBRE	8	9	10	11	12	13	14	15	16	17	18	19	20	21	22	23	24	25	26
MARZO	1	2	3	4	5	6	7	8	9	10	11	12	13	14	15	16	17	18	19
DICIEMBRE	6	7	8	9	10	11	12	13	14	15	16	17	18	19	20	21	22	23	24
ABRIL	1	2	3	4	5	6	7	8	9	10	11	12	13	14	15	16	17	18	19
ENERO	6	7	8	9	10	11	12	13	14	15	16	17	18	19	20	21	22	23	24
MAYO	1	2	3	4	5	6	7	8	9	10	11	12	13	14	15	16	17	18	19
FEBRERO	5	6	7	8	9	10	11	12	13	14	15	16	17	18	19	20	21	22	23
JUNIO	1	2	3	4	5	6	7	8	9	10	11	12	13	14	15	16	17	18	19
MARZO	8	9	10	11	12	13	14	15	16	17	18	19	20	21	22	23	24	25	26
JULIO	1	2	3	4	5	6	7	8	9	10	11	12	13	14	15	16	17	18	19
ABRIL	7	8	9	10	11	12	13	14	15	16	17	18	19	20	21	22	23	24	25
AGOSTO	1	2	3	4	5	6	7	8	9	10	11	12	13	14	15	16	17	18	19
MAYO	8	9	10	11	12	13	14	15	16	17	18	19	20	21	22	23	24	25	26
SEPTIEMBRE	1	2	3	4	5	6	7	8	9	10	11	12	13	14	15	16	17	18	19
JUNIO	8	9	10	11	12	13	14	15	16	17	18	19	20	21	22	23	24	25	26
OCTUBRE	1	2	3	4	5	6	7	8	9	10	11	12	13	14	15	16	17	18	19
JULIO	8	9	10	11	12	13	14	15	16	17	18	19	20	21	22	23	24	25	26
NOVIEMBRE	1	2	3	4	5	6	7	8	9	10	11	12	13	14	15	16	17	18	19
AGOSTO	8	9	10	11	12	13	14	15	16	17	18	19	20	21	22	23	24	25	26
DICIEMBRE	1	2	3	4	5	6	7	8	9	10	11	12	13	14	15	16	17	18	19
SEPTIEMBRE	7	8	9	10	11	12	13	14	15	16	17	18	19	20	21	22	23	24	25